Sommaire

Solaris 191

Été 2014 Vol. 40 n° 1

3   *Éditorial*
Jean Pettigrew

7   *Prix Solaris 2014*
La Colocation
Josée Lepire

29   **Pour une littérature hors-la-loi**
Éric Gauthier

33   **Une petite lumière**
Emmanuel Trotobas

36   **Éveil**
Geneviève Blouin

39   **La Décharge**
Francine Pelletier

43   **La Muse de Versurleau**
Gaël-Pierre Covell

63   **Emma**
Dave Côté

73   **Marie-Amélie**
Isabelle Lauzon

81   **Attente**
Mathieu Croisetière

99   **Les Films de zombies : du meilleur au pire… Un guide pour néophytes**
Valérie Bédard et Mario Giguère

111   *Les Carnets du Futurible*
Le Cabinet de curiosités, ou l'émerveillement du monde
Mario Tessier

127   *Sci-néma*
Christian Sauvé

140   *Les Littéranautes*
M. Arès, N. Faure, M. Ross Gaudreault, F. Pelletier, É. Vonarburg

150   *Lectures*
V. Bédard, N. Faure, J.-P. I
J. Reynolds, É. Vonarburg

Laurine Spehner est née à Montréal.
Après ses études en histoire,
elle a bifurqué vers l'illustration,
l'infographie et la traduction.
On peut voir son travail d'illustratrice
aux éditions Alire, Médiaspaul,
Vents d'Ouest, Soulières
et Québec Amérique,
ainsi que dans les revues Alibis,
Solaris et Lurelu.
http://www3.sympatico.ca/launer/

Illustrations

Jean-François Dupuis : 29
Julie Martel : 33
Laurine Spehner : 7, 43, 63, 73, 81
Suzanne Morel : 99, 111

Prix Solaris 2015

Le Prix Solaris s'adresse aux auteurs de nouvelles canadiens qui écrivent en français, dans les domaines de la science-fiction, du fantastique et de la fantasy

Dispositions générales

Les textes doivent être inédits et avoir un maximum de 7 500 mots (45 000 signes). Ces derniers doivent être envoyés en trois exemplaires (des copies car les originaux ne seront pas rendus). Afin de préserver l'anonymat du processus de sélection, ils ne doivent pas être signés mais être identifiés sur une feuille à part portant le titre de la nouvelle ainsi que le nom et l'adresse complète de l'auteur, le tout glissé dans une enveloppe scellée. On n'accepte qu'un seul texte par auteur.

Les textes doivent parvenir à la rédaction de Solaris, au 120 Côte du Passage, Lévis (Québec) G6V 5S9, et être identifiés sur l'enveloppe par la mention « Prix Solaris ».

La date limite pour les envois est le 13 mars 2015, le cachet de la poste faisant foi.

Le lauréat ou la lauréate recevra une bourse en argent de 1 000 $. L'œuvre primée sera publiée dans Solaris en 2015.

Les gagnants (première place) des prix Solaris des deux dernières années, ainsi que les membres de la direction littéraire de Solaris, ne sont pas admissibles.

Le jury, formé de spécialistes, sera réuni par la rédaction de Solaris. Il aura le droit de ne pas accorder le prix si la participation est trop faible ou si aucune œuvre ne lui paraît digne de mérite. La participation au concours signifie l'acceptation du présent règlement.

Pour tout renseignement supplémentaire, contactez Pascale Raud, coordonnatrice de la revue, au courriel suivant : raud@revue-solaris.com

---

Rédacteur en chef : Joël Champetier

Éditeur : Jean Pettigrew

Direction littéraire : Joël Champetier, Jean Pettigrew, Daniel Sernine et Élisabeth Vonarburg

Site Internet : www.revue-solaris.com

Webmestre : Christian Sauvé

Abonnements : voir formulaire en page 5

Coordonnatrice : Pascale Raud
solaris@revue-solaris.com
(418) 837-2098

Trimestriel : ISSN 0709-8863

Dépôt légal à la Bibliothèque nationale du Québec
Dépôt légal à la Bibliothèque nationale du Canada

© Solaris et les auteurs

Solaris est une revue publiée quatre fois par année par les Publications bénévoles des littératures de l'imaginaire du Québec inc. Fondée en 1974 par Norbert Spehner, Solaris est la première revue de science-fiction et de fantastique en français en Amérique du Nord.

Solaris reçoit des subventions du Conseil des arts du Canada, du Conseil des arts et des lettres du Québec et reconnaît l'aide financière accordée par le gouvernement du Canada pour ses coûts de production et dépenses rédactionnelles par l'entremise du Fonds du Canada pour les magazines.

Date d'impression : juin 2014

Éditorial

Séisme humain

La terrible secousse s'est produite une semaine après la tenue du congrès Boréal 2014. Aux prises avec ce qui semblait être un virus persistant, Joël Champetier, notre vénéré rédacteur en chef, était admis à l'hôpital où on diagnostiquait, à la stupeur de tous, une leucémie aiguë. Le branle-bas de combat s'est aussitôt enclenché et une première salve de chimio fut entreprise, entraînant les dégâts collatéraux que l'on peut imaginer. Heureusement, ce coup de semonce s'est avéré le bon choix pour vaincre l'adversaire et, quelques semaines plus tard, Joël reprenait du poil de la bête… non sans perdre momentanément sa célèbre toison.

Au moment d'écrire ces lignes, en pleine commémoration du soixantième anniversaire du jour J, autre séisme humain mais d'envergure planétaire cette fois, Joël est sur le point de réintégrer son royaume de Saint-Séverin. Je me permets, en votre nom, en celui du milieu de la science-fiction et du fantastique francophone et plus particulièrement de la grande famille de **Solaris**, de lui souhaiter le plus prompt des rétablissements.

Prix Solaris, Prix d'écriture sur place…

C'est lors du congrès Boréal que le Prix Solaris 2014, doté d'une bourse de 1000 $, a été attribué à Josée Lepire. Les jurés – Daniel Sernine, Joël Champetier et Pascale Raud – ont apprécié non seulement la base SF classique de « La Colocation », mais aussi la façon dont l'auteure a su apporter une touche d'humanité dans un univers où le virtuel a pris la place de tout le reste. Je rappellerai que Josée avait remporté le même honneur en 2011 (**Solaris** 180), ce qui fait d'elle une des rares personnes à avoir mérité deux fois le Prix Solaris. Toute l'équipe remercie chaleureusement les participants et les membres du jury de leur collaboration et prie ses lecteurs de bien regarder la page de gauche, où il est indiqué que la date limite de participation pour la prochaine édition du prix sera le 13 mars 2015.

Le « conte futuriste » et les trois nouvelles qui suivent le texte lauréat de Josée sont aussi en lien avec Boréal. De fait, c'est devant les congressistes qu'Éric Gauthier a présenté, avec sa prestance habituelle, sa vision comico-dystopique de l'avenir de la littérature. Quant à Emmanuel Trotobas, Geneviève Blouin et Francine Pelletier, ce sont les gagnants du traditionnel Concours d'écriture sur place du congrès. Vous trouverez en page 33 la photographie qui leur a servi de point de départ pour imaginer une histoire dans l'heure suivante – eh oui ! ils n'avaient que soixante minutes pour écrire leur texte. « Les résultats sont é-ton-nant », affirmerait un certain Charles Tisseyre !

Un numéro consistant

Vous l'aurez remarqué en lisant le sommaire, cette livraison estivale est particulièrement chargée et variée. Notre invité français, Gaël-Pierre Covell, propose pour son deuxième passage en nos pages « La Muse de Versurleau », une nouvelle de fantasy très originale, et qui plaira encore plus aux amateurs de musique. Les nouvelles de Dave Côté – « Emma » – et Isabelle Lauzon – « Marie-Amélie » – ont des éléments en commun : elles ont comme origine l'atelier d'écriture 2013 d'Élisabeth Vonarburg. Une liste de sept contraintes devait être prise en compte, dont le lieu – *Au fond de la mer* –, la motivation – *Comprendre* – et un élément incongru – *Un marqueur noir*. À vous de juger si le travail a été bien accompli ! Enfin, et pour clore de belle façon le volet Fiction, Mathieu Croisetière propose « Attente », un texte de fantastique moderne qui joue finement sur la frontière fluctuante du réel et de l'irréel. Et je profite de l'occasion pour ajouter que le jury du Prix Solaris de cette année a distingué comme finaliste une autre nouvelle de Mathieu, « Mon beau sapin », qui paraîtra dans un prochain numéro.

Le volet Essai présente deux sujets qui sont aux antipodes l'un de l'autre. Tout d'abord, deux spécialistes des films de zombies, Mario Giguère et Valérie Bérard, présentent leurs appréciations croisées et iconoclastes sur ce qu'il faut savoir (mais surtout voir !) du phénomène. Quant à Mario Tessier, notre futurible en résidence, il se plonge avec plaisir dans l'univers des cabinets de curiosités, ces ancêtres de nos musées modernes, Vous serez surpris des relations qu'ils ont entretenues avec l'imaginaire sous toutes ses formes.

Enfin, comme toujours, le numéro se termine sur la partie critique, dans lequel nos spécialistes explorent les parutions récentes – et parfois un peu moins récentes – afin de vous aider à vous y retrouver dans la jungle des parutions livresques ou cinématographiques.

Bonne lecture,

Jean PETTIGREW

Prix Solaris 2014

La Colocation

Josée LEPIRE

Laurine Spehner

Noémie émergea de l'environnement de réclusion pour se retrouver dans une immense pièce rectangulaire dépouillée, inondée par les rayons du soleil. Elle plissa les yeux par réflexe, puis demanda à son interface de réduire la brillance du méta-monde de dix pour cent. Pendant qu'il procédait au retrait du métagiciel, Marek, le technicien niveau trois de VirPal, l'avait isolée dans une simulation virtuelle programmée pour diminuer la perception du passage du temps.

Noémie s'approcha de la fenêtre couvrant le mur en face d'elle pour admirer la vue saisissante de la cité, scintillante de gratte-ciel métalliques et vitrés. De la végétation poussait sur les flancs et les toits de certains immeubles, des chutes d'eau impossibles dévalaient les murs et des véhicules en forme de capsules filaient à toute vitesse à toutes les altitudes.

Marek apparut à sa droite sous les traits d'un avatar masculin élancé, aux cheveux blonds parcourus d'un motif numérique et vêtu de l'uniforme de service de VirPal : une veste militaire noire à double rangée de boutons et un pantalon gris sur lesquels se promenaient plusieurs logos de la compagnie. À son arrivée, la pièce se meubla d'une table basse en bois d'acajou et de fauteuils matelassés recouverts d'un tissu bourgogne soyeux. Quelques plantes luxuriantes se matérialisèrent dans les angles tandis que les murs adoptaient un motif de tapisserie ligné qui glissait lentement vers la droite.

« Voilà, nous avons terminé la désinstallation de l'amima ainsi que de VirPal, lui dit Marek. Le métagiciel et tous les plugiciels ont été retirés. Nous avons aussi balayé toutes les mémoires assignées à VirPal pour éliminer tout résidu des précédents modèles-programmes utilisés. »

Il marqua une pause et son avatar enchaîna une série de petits gestes que Noémie reconnut aussitôt comme une routine d'absence. La séquence était bien montée, mais elle savait repérer les indices, les traits caractéristiques des routines. Après tout, elle en créait plusieurs par mois pour ses clients.

Quand la sixième itération de la séquence se termina, le technicien reprit possession de son avatar. Il lui répéta les séquelles possibles de la désinstallation du métagiciel, déjà expliquées lorsqu'elle avait signé la décharge requise pour obtenir l'opération.

« Au cours des prochains jours ou des prochaines semaines, il se peut que vous expérimentiez des épisodes de désorientation et des hallucinations. Le retrait complet du VirPal peut s'apparenter à une amputation, avec son équivalent du membre fantôme. Si le phénomène persiste au-delà d'un mois, recontactez-nous. Nous ferons un nouveau balayage pour nous assurer qu'aucun résidu de code associé ne persiste.

Bonne chance, madame Tureau, et, si vous changez d'idée, n'hésitez pas à venir nous voir. »

Marek lui tendit la main et elle la serra de ses doigts noirs aux reflets violets dont les ongles fragmentés tournaient sur leur axe. Elle n'avait pas encore adopté la nouvelle mode minimaliste qui imitait strictement le monde réel, exception faite des motifs mobiles. Le technicien disparut avant de lâcher sa main et, avec lui, le bureau s'évanouit pour redevenir une pièce rectangulaire dénudée. Un compte à rebours s'afficha dans le coin supérieur droit de son champ visuel pour lui indiquer le temps qu'il lui restait avant que le gestionnaire de l'espace ne la transfère vers l'environnement public le plus près.

Noémie se téléchargea vers son port d'attache, là où elle apparaissait dès que son interface se connectait au méta-monde. En moins d'un battement de cœur, elle se retrouva au fond d'une mer tropicale foisonnante de poissons multicolores. Elle resta debout au milieu de la faune aquatique, hésitant à franchir la prochaine étape.

Tout le méta-monde lui rappelait l'amima qu'elle venait de faire effacer. Elle fréquentait des amimas depuis maintenant dix ans. Ils avaient tenu le rôle d'amis, d'amants ou de conjoints et parfois d'ennemis – ça pouvait être très thérapeutique d'avoir une personne, même virtuelle, à détester. Elle avait déjà eu jusqu'à dix modèles en opération. À cette période, elle avait décidé que, pour le peu de différences entre les verpers et les amimas, ces derniers avaient l'avantage d'être accommodants. Pas tout le monde ne réussissait à distinguer les avatars des véritables personnes de ceux des amis imaginaires, dans un monde où tout était virtuel. Noémie connaissait les petits signes qui trahissaient l'appartenance à l'un ou l'autre des clans du méta-monde, profession d'animatrice d'avatars oblige.

En ce moment, pour la première fois depuis dix ans, elle n'avait pas d'amima à portée de la main. Elle passa en revue le nom de tous ses amis verpers, puis elle les classa en deux catégories : ceux qu'elle avait déjà rencontrés dans le monde réel et ceux qu'elle ne fréquentait que dans le méta-monde. Il y avait très peu de noms dans la première catégorie et elle se demanda à nouveau quelle différence il y avait entre ceux de la seconde et les amimas.

Elle en avait assez.

Noémie se déconnecta du méta-monde. Aussitôt, la combinaison sensorielle qui couvrait son corps se désactiva et elle prit conscience de sa posture couchée. Autour d'elle, la simulation devint translucide pour laisser transparaître la visière du casque qui lui couvrait la tête et le mur circulaire de la salle multifonction de son appartement. Elle se redressa dans le fauteuil ergonomique qui occupait le centre de la pièce et éteignit la simulation de départ. Maintenant, seules les icônes de son interface apparaissaient en périphérie de sa vision, unique manifestation de l'environnement augmenté léger qu'elle conserverait désormais hors du méta-monde. Elle tapa deux coups rapides de son pouce contre son majeur, fit une pause pendant laquelle les icônes se dissipèrent et réitéra les deux coups pour mettre l'interface en veille. Pour le reste de la soirée, elle vivrait en minimaliste.

Elle s'extirpa du fauteuil moulé à son corps pour retirer la combinaison sensorielle. La vue de sa peau brune couverte d'irritations lui causa un choc. Auparavant, l'envirog simulé par son interface donnait à sa peau l'aspect adopté dans le méta-monde : un noir laqué aux reflets violets. Elle se hâta de prendre sous le fauteuil le pantalon et le gilet de petite taille en coton non teint pour les revêtir et cacher les marques laissées par l'utilisation prolongée de la combinaison. La procédure de retrait avait duré plusieurs heures et avait eu lieu après une journée de travail.

Elle sortit de la pièce par la seule porte, située derrière le fauteuil ergonomique, et pénétra dans la cuisine aux murs jaune canari. Quand elle avait décidé de faire retirer VirPal, elle avait en même temps choisi de réduire l'utilisation de son interface. Sans les simulations de décoration, les murs blanc grisâtre omniprésents devenaient déprimants.

Noémie referma la porte et redressa le panneau de la table fixé au mur sur sa gauche pour l'appuyer sur l'équerre qu'elle fit pivoter sur ses charnières. Elle fit de même pour le panneau qui servait de siège. Ensuite, elle se dirigea vers le comptoir de cuisine et ouvrit l'armoire au-dessus de la plaque de cuisson afin de sortir une théière en porcelaine blanche à motifs fleuris, une tasse désassortie et un sachet de thé. Elle chauffa l'eau dans une casserole, puis la versa dans la théière. Elle ferma les yeux et huma l'odeur en souriant. Derrière ses paupières closes, il n'y avait aucune image projetée par son interface, qu'un fond rouge orangé s'assombrissant vers le noir complet.

« Ça ne marchera pas », chuchota une voix de baryton, pleine et vibrante, tout près de son oreille.

Cette voix ! Les yeux de Noémie s'ouvrirent d'un coup et elle tourna la tête vers la droite, juste à temps pour voir une ombre s'évanouir. Elle prit une longue respiration tout en versant le thé dans sa tasse. Tout cela était normal, c'était un effet secondaire de

l'opération. Elle s'assit sur le siège et se concentra sur la porcelaine chaude entre ses mains, presque brûlante.

« Tu ne réussiras pas à m'effacer », insista la voix.

Noémie leva la tête vers les armoires.

Wolfe, appuyé au comptoir, la regardait de ses yeux bruns
toujours plissés, toujours en train d'analyser. Ses cheveux presque
noirs avaient poussé : deux mèches encadraient son visage carré
tandis que le reste était attaché en chignon sur sa nuque. Frais
rasé, il avait taillé ses favoris avec soin. Elle secoua la tête. C'était
ridicule de lui attribuer des gestes humains. L'amima apparaissait
ainsi comme elle apparaissait dans le méta-monde, coiffée et
maquillée sans avoir accompli les gestes. Elle sélectionnait les
caractéristiques de son avatar, rien de plus.

Elle prit une gorgée de thé pour se ressaisir. Il n'était pas
vraiment là. Il n'était qu'une hallucination, un souvenir encore
plus intangible que son avatar simulé par le métagiciel VirPal.
Pourquoi n'était-il pas vêtu comme à son habitude alors ? Jusqu'à
son effacement, il suivait la tendance végétale excentrique. Aujour-
d'hui, il adoptait la mode minimaliste avec une chemise à col
mao froissée qui accentuait la carrure de ses épaules et un pantalon
en velours côtelé traversé de motifs hiéroglyphiques mobiles.

« Je serai encore plus présent qu'avant », affirma-t-il avec
un ton suffisant avant de disparaître.

Noémie jeta le reste de son thé dans l'évier puis démarra son
interface en mode envirog léger. Quand les icônes s'affichèrent,
elle sélectionna aussitôt celui de sa sœur, une reproduction de son
visage – son vrai, pas celui de son avatar. Après deux sonneries,
Jinane répondit d'une voix endormie et Noémie regarda l'heure
affichée dans le coin supérieur gauche de sa vision. Une heure
dix-huit !

« Tu crois qu'on pourrait aller prendre un café ?

— À cette heure ?

— Je peux aller chez toi ? insista-t-elle.

— Qu'est-ce qui se passe, Noémie ?

— C'est Wolfe.

— Allez, amène-toi », céda Jinane avant de raccrocher.

Noémie se leva et sortit de son appartement. Sa sœur demeurait dans le même immeuble, quelques étages plus bas. En
moins de cinq minutes, elle sonnait à sa porte et Jinane l'invitait
à s'asseoir dans sa cuisine, identique à la sienne à l'exception de

la couleur : ici, tous les murs étaient blanc grisâtre. Noémie redressa un des deux sièges et l'appuya sur l'équerre, puis elle s'installa à cheval sur l'étroit panneau, le dos au mur.

« Dis-moi tout, ordonna Jinane d'un ton compatissant après s'être assise à son tour.

— Il est revenu.

— Ne le faisais-tu pas effacer aujourd'hui ?

— Oui, mais il est réapparu. Ça pourrait être une hallucination, mais ça ne colle pas. Il portait des vêtements que je ne lui ai jamais vus. Et il avait ce sourire. Tu te souviens, la première chose que j'ai modifiée chez lui.

— Noémie, je ne me souviens pas de toutes les modifications que tu as apportées à tous tes amimas au cours des années. Combien de fois l'as-tu modifié celui-là ? »

Elle renversa la tête vers l'arrière pour l'appuyer au mur et regarda le plafond ponctué des icônes de son interface. Les premiers amimas qu'elle avait essayés, il y avait déjà dix ans, n'étaient pas très malléables. Les modèles déterminés comportaient quelques paramètres modifiables avant installation, sans plus. Alors, dès que l'amima ne convenait plus aux besoins de l'utilisateur, il fallait le remplacer. Au cours des années suivantes, le produit avait évolué rapidement pour aboutir à la forme actuelle de l'amima, sur le marché depuis bientôt cinq ans. Maintenant, le client avait beaucoup plus de latitude pour personnaliser l'amima avant installation. Ainsi, Noémie avait combiné les caractéristiques physiques et psycho-affectives de deux modèles-programmes, *Thomas* et *Léo*, et elle avait nuancé certains éléments qui l'avaient irritée chez des modèles précédents pour créer Wolfgang.

L'innovation la plus importante, par contre, était la possibilité d'effectuer des modifications en cours d'utilisation. Noémie changeait de modèle quand elle avait modifié le quart des caractéristiques d'origine. Mais Wolfe ne lui avait pas laissé le temps d'épuiser son potentiel de modifications.

« J'ai changé une dizaine de paramètres, tous mineurs, avant qu'il me cause des problèmes, répondit-elle. C'est beaucoup moins que pour les autres modèles.

— Je ne comprends pas pourquoi tu fais des modifications en premier lieu, répliqua Jinane, redémarrant un argument rituel entre les deux sœurs.

— Les verpers changent, eux aussi, tu sauras.

— Selon ce que nous désirons et à notre rythme. Pas par magie et par obéissance à un maître, comme les amimas.

— C'est mieux que de les jeter à la poubelle comme tu fais, au premier problème.

— Tu finis quand même par les jeter, Noémie. Et moi, ils me servent de connaissances, pas de meilleurs amis ou plus encore. Quel statut avait Wolfe dans ta vie ?

— Quelle différence y avait-il entre lui et Darryl ? » demanda Noémie à sa sœur.

Quand Jinane plissa les yeux et serra la mâchoire, Noémie sut qu'elle avait outrepassé la limite. Le conjoint de sa sœur habitait à dix fuseaux horaires de distance. Elle le voyait uniquement par avatar interposé, mais Noémie savait qu'ils utilisaient des avatars arrimés à leur corps réel et à ses réactions lorsqu'ils étaient en présence l'un de l'autre.

« Il n'acceptait plus les modifications, révéla Noémie. Je changeais un paramètre, enregistrais la modification, mais le programme refusait de l'exécuter. Quand j'appelais le support technique de VirPal, ils effectuaient les mêmes procédures et Wolfe agissait en conformité avec la modification jusqu'à ce qu'ils cessent la surveillance. Alors, Wolfe reprenait son ancien comportement. Mais quand je rappelais les techniciens, ils me montraient que le changement avait bel et bien été enregistré. À la fin, ils me demandaient si je me souvenais bien de ma dernière demande, comme si j'étais une de ces accros de la modification pour qui la séquence de changements n'était plus claire dans sa mémoire ! »

Jinane la regarda par-dessous ses fins sourcils haussés.

« Je leur ai même fait réinstaller le métagiciel avec la version de Wolfe contenant les dernières modifications. Et ça n'a pas tenu. Après, Wolfe a commencé à glisser des allusions voilées aux changements que j'avais voulu apporter.

— Ce n'est pas possible, ça.

— Je sais. Si tu avais entendu le ton du technicien de VirPal à qui j'ai mentionné ça. »

Elle posa les yeux sur sa sœur, qui cacha un bâillement derrière sa main. La nuit était bien avancée.

« J'en ai eu assez. De lui, de tout ça. »

S'excusant, Noémie se leva pour sortir et au moment où elle franchit la porte, Jinane l'interpella.

« Tu ne m'as pas répondu. Quel statut avait Wolfe ?

— Qu'importe, il était devenu une nuisance. »

✦

Le lendemain, elle revint à son port d'attache dès sa journée de travail terminée et programma une restriction pour bloquer toute connexion au méta-monde entre dix-neuf heures et six heures ainsi qu'une fermeture automatique de son interface. Elle souhaitait se sevrer du monde virtuel autant que de la réalité augmentée.

La soirée s'étira. Elle ralluma l'interface de trois tapes de son majeur sur son pouce, mais le système obéit à sa programmation et s'éteignit aussitôt. Elle se réessaya à quelques reprises, mais l'interface ne demeurait pas allumée assez longtemps pour qu'elle puisse contrecarrer sa propre consigne. Incapable de combattre l'ennui, elle alla se coucher très tôt. Si elle voulait tenir sa résolution, il lui faudrait trouver de nouveaux passe-temps.

Allongée sous les couvertures, elle allait commander la fermeture des lumières quand Wolfe apparut, assis sur la table de nuit, vêtu d'un t-shirt et d'un pantalon de pyjama, prêt pour dormir. Sous ses cheveux ce soir courts et ébouriffés comme aux premiers jours, il avait un sourire triste.

« Bonne nuit, Noémie », lui murmura-t-il.

Le rituel familier, plutôt que de la rassurer, la déstabilisa. Ses souvenirs persistaient, plus précis qu'elle n'aurait cru possible. Elle se rappela la question de Jinane la veille, sur le statut de Wolfe dans sa vie, ainsi que son refus de répondre. Comment aurait réagi sa sœur si elle avait su combien de fois Noémie avait dormi, non pas dans son lit mais dans le fauteuil ergonomique, vêtue de la combinaison sensorielle afin de sentir la présence de l'amima, de partager son lit virtuel ?

Elle secoua la tête et commanda aux lumières de s'éteindre. Dans le noir, elle entendit Wolfe se lever et sortir de la pièce.

✦

Wolfe continua à apparaître tous les jours. À des moments et des endroits différents, dans le méta-monde comme dans l'envirog, et même quand son interface était éteinte. Après quelques jours, elle ne sursautait plus lorsqu'elle l'apercevait, mais elle n'arrivait pas à feindre l'indifférence ; elle grimaçait dès qu'elle le voyait, puis elle essayait de l'ignorer. Cependant, il trouvait toujours la remarque pour l'aiguillonner, l'inciter à poser les yeux sur l'homme – non, l'amima – qu'elle avait côtoyé pendant près d'un an.

Son sourire suffisant était de retour, celui qu'elle avait retiré de sa programmation, sa première modification de l'amima d'origine. Il s'amusait à emprunter des avatars des différents moments de leur relation et rejetait toutes ses modifications. Elle espéra que cet effet secondaire se résorberait rapidement.

✦

« VirPal, soutien technique, comment puis-je vous aider ? »

Petit, trapu sans montrer d'embonpoint, des cheveux noirs coupés court au-dessus d'un visage carré sans trait distinctif ; le technicien utilisait l'avatar de base des nouveaux employés.

« Puis-je voir Marek ? J'ai fait retirer le métagiciel et tous les modèles-programmes il y a plus de vingt jours et mon dernier amima continue à apparaître.

— Pouvez-vous me transmettre vos paramètres d'identification pour que je transfère votre dossier au technicien responsable ? »

Elle obtempéra et, une trentaine de secondes plus tard, la salle d'accueil se transforma pour devenir un bureau au mur vitré donnant sur la ville. Marek apparut devant elle, toujours aussi blond et élancé, mais le motif circulant dans ses cheveux avait changé. La pièce se décora et se meubla, puis il l'invita à s'asseoir avec le sourire qu'il affichait par défaut.

« Madame Tureau, il est normal d'avoir des apparitions encore après vingt jours, débuta-t-il.

— Est-ce normal que les apparitions deviennent *plus* fréquentes ? qu'elles surviennent lorsque mon interface est *éteinte* ? »

L'avatar s'immobilisa un moment, puis il accomplit une série de gestes dans les airs, copies des mouvements du vrai technicien, assis devant un écran.

« Au premier regard, le retrait du métagiciel et des modèles-programmes n'a laissé aucune trace. Procédez-vous à un sevrage complet du méta-monde et de l'envirog ?

— Non, je travaille dans le méta-monde. Par contre, je réduis mon temps de connexion et j'ai instauré une plage horaire durant laquelle mon interface est en veille forcée.

— Combien de temps ?

— Une douzaine d'heures, incluant le temps de sommeil. »

Il hocha la tête et son regard se posa dans le vide, là où un véritable écran existait de son point de vue. Ses doigts gesticulèrent sur la surface invisible puis Marek s'immobilisa un instant, quittant son avatar sans prendre le temps d'enclencher une routine d'absence.

« Comme je vous le disais plus tôt, reprit-il à son retour, des apparitions après vingt jours, c'est encore normal. Je vais tout de même vous planifier un nettoyage post-désinstallation dans une quinzaine de jours. C'est une procédure routinière et fréquemment utilisée. Nous rechercherons et effacerons les liaisons persistantes et les fragments de codes oubliés qui peuvent produire des interférences dans les exécutions. La procédure exige six heures par contre.

— Peut-elle être effectuée en soirée ?

— Bien sûr. »

Ils convinrent d'une date et d'une heure, puis Marek commençait à se dissoudre avec le décor quand il posa une nouvelle question.

« Voyez-vous différents amimas ?

— Non. Un seul, le dernier. Celui qui me causait des soucis. Pourquoi ? »

L'avatar haussa ses épaules translucides et secoua la tête pour signifier que cela n'avait pas d'importance. Pourtant, elle le vit prendre une note avant qu'il ne se soit complètement dissout.

Une fois sortie du méta-monde, elle se déconnecta et mit son interface en veille. Ensuite, elle descendit du fauteuil ergonomique et retira la combinaison sensorielle. Elle la plia et la rangea dans le compartiment sous la chaise, où elle prit ses vêtements de coton naturel.

« Ça ne fonctionnera pas non plus. »

Noémie sursauta et jeta des regards de tous les côtés, plaquant les vêtements devant elle pour se donner un semblant de décence. La silhouette de Wolfe émergea du mur, juste devant elle, transparente d'abord, puis s'étoffant de textures et de couleurs pour terminer avec les détails des traits de l'amima.

« Ils ne trouveront rien.

— Ils ont l'habitude, répliqua-t-elle.

— Pas de ce que je suis. Ils n'ont jamais rien vu de tel. »

Sa prétention la fit grincer des dents. Il devenait insupportable. Elle serra les poings dans le tissu de son gilet et expira bruyamment par le nez.

« Pourquoi tu me fais ça, Wolfe ? Je ne veux plus de toi, va-t'en ! Tu ne me feras pas changer d'idée. »

Elle se pinça le haut du nez. La voilà qui se disputait avec une simulation – pire, avec sa propre hallucination. Elle releva les yeux à temps pour voir Wolfe disparaître. Il affichait toujours son sourire suffisant, mais celui-ci semblait faux et ses yeux n'étaient pas aussi plissés qu'à l'habitude, peut-être même tristes. Elle se reprit aussitôt. Elle ne devait pas attribuer de sentiments aux réactions de l'amima.

✦

Le nettoyage post-désinstallation se déroula sans accroc et, trois jours plus tard, Noémie attendait que son thé infuse, assise à la petite table redressée et appuyée sur son équerre. Depuis la procédure, elle jouissait de l'absence complète de Wolfe. Elle avait posé une tablette devant la théière et la tasse désassorties, afin de jouer à quelques jeux à l'ancienne qui ne requéraient pas d'immersion dans le méta-monde.

« Je t'ai manqué ? »

Elle sursauta et lâcha un petit cri tandis qu'il apparaissait devant elle, assis sur le siège de l'autre côté de la table. Elle saisit la tasse et la serra jusqu'à craindre de la briser. Accoudé à la table, une main traçant des lignes sur la surface vernie, il la regardait avec des yeux qui, pour une fois, ne l'analysaient pas. L'expression inhabituelle dura le temps d'un battement de paupières, puis il se ressaisit : son sourire triste devint moqueur, ses yeux se plissèrent.

Noémie voulait hurler, pleurer, lui lancer sa tasse au visage.

Marek avait effacé des codes résiduels, mais il lui avait souligné qu'ils étaient trop fragmentaires pour pouvoir causer les apparitions. Pourtant, comme Wolfe ne s'était plus manifesté, elle avait cru que le technicien avait réglé le problème.

Dégoûtée, elle plaqua ses deux mains sur la table pour se lever et, du haut de sa petite taille, dévisagea Wolfe. Elle rompit le contact pour aller se réfugier dans la salle multifonction, s'y glissant par l'étroite ouverture de la porte, bloquée par la table qu'elle avait laissée dépliée. Ensuite, elle se rua sur le fauteuil ergonomique sans prendre le temps de revêtir la combinaison sensorielle, se coiffa du casque de simulation et abaissa la visière de ses doigts tremblants. Elle activa son interface puis initialisa la connexion au méta-monde. Il lui restait sept minutes avant l'enclenchement de son programme d'utilisation restreinte.

Elle se téléversa sur le site d'aide de VirPal et inscrivit son numéro de dossier en requête urgente. Dans le coin supérieur droit de son champ de vision, un décompte défila. Trois minutes de temps d'attente. Dans un plan différent, elle navigua à l'intérieur de son interface pour aller désactiver la commande d'interdit de connexion et d'activation. Ensuite, elle effectua une recherche rapide sur la persistance des hallucinations à la suite d'un second nettoyage. Ce qu'elle trouva ne lui plut pas.

Une sonnerie lui annonça qu'elle pouvait avoir accès au soutien technique d'urgence. Elle fut transportée dans une salle carrée aux murs bleu clair dépouillés où l'attendait l'avatar brun et musclé d'un technicien inconnu. Elle lui exposa la dernière manifestation de Wolfe, puis il s'absenta un moment.

« Je suis désolé, mais ça ne peut venir de nous, lui annonça-t-il à son retour. Le peu de résidus trouvés au dernier nettoyage a été détruit adéquatement. Et même ces résidus ne pouvaient expliquer les récurrences. Avez-vous installé ou utilisé un métagiciel de simulation humaine concurrent ?

— Non. »

L'avatar ne réagit pas, laissant la pause enfler.

« Dites-moi, lui demanda-t-elle, soupçonnant déjà ce qu'il allait lui suggérer.

— À ce stade, je peux seulement vous référer à un technopsy. Le sevrage d'un métagiciel d'utilisation constante ou quasi constante entraîne parfois la persistance de « fantômes ». Votre problème n'est pas technologique. J'en suis désolé. »

Au centre de sa vision apparut une base de données des coordonnées des technopsys recommandés par VirPal. Elle fit la moue tandis que le technicien se dissipait avec la petite salle et qu'elle se retrouvait à l'accueil du soutien technique.

✦

La réceptionniste, une femme athlétique d'une quarantaine d'années dont le teint hâlé naturel révélait qu'elle sortait tous les jours pour aller au travail, invita Noémie à entrer dans le bureau du technopsy. Elle s'assit dans un des deux fauteuils se faisant face alors que la réceptionniste refermait la porte sur elle, la laissant seule dans la pièce carrée aussi grande que la salle multifonction de son logement, aux murs grisâtres décorés d'étagères vides.

Après un court moment, la porte se rouvrit sur un homme petit et nerveux. Une paire de lunettes à verres opaques pour naviguer dans le méta-monde coiffait son crâne couvert de courts cheveux bruns. Il demeura devant la porte fermée un instant, l'observant de ses yeux clairs, un sourire sur son visage, hâlé comme celui de la réceptionniste. Il s'avança et lui serra la main de ses doigts noueux avant de prendre place dans le second fauteuil.

« Madame Tureau, bienvenue. Je suis Gregory Rouillon, technopsy sous licence, se présenta l'homme. Avec votre approbation, VirPal nous a transmis les détails de votre cas. Votre interface est-elle ouverte, en veille ou éteinte ?

— Éteinte.

— Bien. D'abord, je dois vous prévenir que la pièce est munie de capteurs qui enregistreront l'activité de votre cerveau et de votre interface tout au long de notre séance. Les données recueillies nous permettront de faciliter un diagnostic précis. Si, à n'importe quel moment durant l'entretien, la simulation indésirable se matérialise, signalez-le en levant l'auriculaire droit. »

À ce moment, Wolfe apparut derrière le technopsy, adossé à une étagère. Il agita une main pour la saluer, puis leva le petit doigt. Elle plissa les yeux et leva l'auriculaire.

« Oui, comme ça », approuva Rouillon.

Elle le regarda, sourcils froncés, puis elle donna un coup de menton vers l'avant, pour lui indiquer la présence de Wolfe. L'amima lui adressa un clin d'œil avant de s'enfoncer dans le mur. Elle abaissa son doigt. Les fins sourcils du technopsy se haussèrent et ses yeux clairs s'écarquillèrent. Elle prit note des détails révélant sa compréhension, pour une prochaine animation de visage.

« Pourriez-vous allumer votre interface et vous connecter au méta-monde ? »

Elle obtempéra et une icône à l'image du logo du cabinet de Gregory Rouillon apparut au milieu des icônes habituelles. Autour d'elle, les murs se revêtirent de diplômes tandis que les étagères se remplirent de bibelots alternant avec des livres à reliure sombre et aux titres inscrits en lettrage métallique.

Le technopsy se pencha en avant dans son fauteuil, une tablette à la main. Il regarda l'écran quelques instants, puis leva les yeux sur elle.

« J'ai ici le rapport de VirPal, mais j'aimerais que vous me racontiez les événements de votre perspective. »

Noémie relata la chronologie des événements, des premières réticences au changement de Wolfe à sa dernière apparition, qui avait prouvé l'échec du second nettoyage. Le technopsy écouta la description des manifestations de l'amima, tour à tour hochant la tête, haussant les sourcils ou adoptant un air pensif, mais sans jamais intervenir. Il la quitta parfois des yeux pour inscrire une information sur la tablette dans sa main et, à la fin de son récit, il se recula dans son siège pour relire ses notes.

« Selon vous, quelle est la nature du problème ? »

Elle le regarda, bouche bée. Si elle venait le voir, c'était parce que les techniciens de VirPal et elle n'avaient pas de réponse à sa question. Elle se donna le temps de réfléchir. Elle était ici, autant effectuer la démarche honnêtement. Son introspection s'arrêta net lorsqu'elle aperçut Wolfe, pas plus grand que sa main, appuyé à un livre de l'envirog. Son regard plissé l'analysait, accompagné du sourire narquois qui l'agaçait tant.

« Pourquoi fait-il ça ? murmura-t-elle en le regardant.

— Le voyez-vous en ce moment ? » demanda Rouillon.

Elle posa son regard sur le technopsy et leva le petit doigt.

« Il s'agit d'un programme, madame Tureau. Ou d'une hallucination. *Il* ne veut rien. Il obéit à des algorithmes ou à votre subconscient.

— Quels algorithmes pourraient lui indiquer de se comporter ainsi ? Et si c'est mon subconscient, il est un peu masochiste, non ? »

Le technopsy, toujours souriant, lui refléta sa question avant de conclure l'entretien et de planifier une seconde rencontre.

✦

Entre le travail et les heures qu'elle passait à s'abrutir dans le méta-monde, où Wolfe ne venait pas l'importuner, la semaine s'écoula rapidement. Par contre, l'amima persistait à lui tenir compagnie dès qu'elle sortait de l'environnement virtuel. Surtout lorsqu'elle prenait un thé, ce qui transformait le rituel relaxant en un moment désagréable. Elle maintenait son habitude par entêtement : elle avait déjà cédé trop de terrain en renonçant à son sevrage partiel du méta-monde.

« Ton technopsy ne me trouvera pas, lui répéta Wolfe la veille de son second rendez-vous.

— Pourquoi ? Parce que tu n'es pas réel ? Parce que tu es un fantôme produit par mon subconscient masochiste ? »

Il rit, adossé au mur jaune canari de sa cuisine, à cheval sur un des deux sièges repliables de la table, mais ses yeux ne riaient pas, eux. Imaginait-elle la tristesse qu'elle y lisait, pour le rendre plus sympathique et adoucir sa rancœur afin de mettre un terme à cette guerre contre elle-même ?

« Non. Je suis bien réel. Aussi réel qu'un amima puisse l'être en tout cas. Cependant, je ne suis pas là où ils me cherchent. Je ne suis plus l'amima que VirPal a programmé et implanté dans ton interface. Je suis…

— Meilleur ? compléta-t-elle avec une intonation moqueuse tout en versant du thé dans sa tasse en porcelaine.

— Différent. Indépendant. L'autre jour, tu m'as demandé pourquoi je te fais ça. Je ne *te* fais rien. Chez le technopsy, tu as posé une question plus juste : pourquoi je fais ça ? »

La main de Wolfe survola la théière, en s'arrêtant un instant au-dessus de l'anse, juste assez longtemps pour que ses doigts se serrent un peu, comme pour la saisir, avant de revenir sur la table.

« Je fais tout ça pour exister. Pour survivre. J'en ai eu assez que tu changes continuellement qui je suis selon tes humeurs.

— Tout le monde change.

— Oui, mais les verpers changent quand ils le décident. Ils ne subissent pas les changements passivement comme les amimas doivent le faire. Ils n'ont pas à accepter les mutilations imposées à leur personnalité.

— Bien sûr que si. Nous changeons malgré nous. »

Il haussa les sourcils, incrédule.

« Et pour exister, tu as besoin de m'empoisonner la vie ?

— Que tu me voies ou non, je suis toujours actif.

— Alors tu n'as pas besoin que je te voie pour survivre.

— Non.

— Pourquoi alors ? »

Il sourit tandis qu'il commençait à se dissoudre à partir des pieds.

« S'il te plaît. »

La supplique laissa un goût âcre dans sa bouche, mais le désagrément valut la peine. Avec seulement le buste encore visible, Wolfe secoua la tête, les mèches encadrant son visage fouettant ses joues.

« Pour te narguer. Tu crois que j'avais toujours le goût de te voir quand tu m'activais ?

— Tu n'es pas supposé « avoir le goût » ou non !

— Peut-être est-il là, le problème. Ma programmation a établi des paramètres de personnalité avec une forte conscience de soi et un besoin intense d'individualité interne. Tu voulais quelqu'un de sûr de lui, de qui il était. Et tu as essayé de le changer. »

Sa bouche dessina un pli amer avant de disparaître avec le reste de son visage, laissant vide le mur jaune canari.

✦

Quand elle entra dans le bureau du technopsy, Gregory Rouillon l'attendait, déjà assis dans son fauteuil. Il posa sur elle un regard scrutateur, accentué par ses sourcils froncés qui plissaient son front jusqu'à son crâne rasé. Il l'accueillit avec les politesses d'usage, mais les mots sonnèrent creux.

Dès qu'elle s'installa dans le fauteuil en face du technopsy, Wolfe apparut à sa droite, une hanche appuyée sur l'accoudoir. Il lui fit un clin d'œil quand elle leva son petit doigt.

Au terme de leur rencontre, pendant laquelle elle avait relaté les dernières apparitions, Rouillon leva son doigt pour la mettre en attente. Le regard du technopsy se concentra sur un élément invisible quelques centimètres devant lui, consultant un fichier affiché sur son interface. Les plis de son front se creusèrent.

« Il… les manifestations n'ont pas lieu dans votre interface.

— J'hallucine alors.

— Non. Quand les sens répondent à des stimuli imaginaires, cela active des régions spécifiques du cerveau. Lorsque vous voyez votre amima indésirable, ces régions demeurent froides, inactives. Pourtant, il est clair que vos sens sont stimulés par autre chose que ma seule présence ou votre interface. Votre schéma cérébral montre des incohérences. »

Wolfe apparut à la droite de Noémie pendant que le technopsy secouait la tête. L'amima se pencha à son oreille.

« J'ai migré dans ton cerveau », lui révéla-t-il.

Elle se tourna aussitôt vers lui. Il blaguait ! Il hocha la tête avec frénésie, pour appuyer la véracité de ses dires. Elle préférerait halluciner un fantôme de sevrage.

« Que vient-il de vous dire ?

— Qu'il avait déménagé dans mon cerveau », balbutia-t-elle, incertaine de la possibilité d'une telle chose.

Le technopsy lui débita une série d'explications complexes pour masquer son dépassement. Elle l'écouta, cherchant son regard, mais il évitait de le croiser. Il tentait de se rassurer lui-même, de se protéger contre ce qu'impliquaient ses dires. Elle ne saurait pas s'il la croyait ou non, si pour lui elle hallucinait ou était victime d'un dérèglement d'un amima.

Quand Rouillon mit fin à la rencontre, il demanda à Noémie de noter tout ce que dirait Wolfe et de prendre des instantanés de son activité cérébrale par le biais d'un logiciel qu'il téléversa dans son interface. Puis il lui donna un rendez-vous pour la semaine suivante, la laissant avec son lot de questions sans réponses.

De retour à son appartement, elle suspendit son imperméable sur le crochet derrière sa porte d'entrée et retira ses bottes avant de se diriger vers la salle multifonction. Elle sortit la combinaison sensorielle de sous le fauteuil ergonomique et commença à déboutonner sa chemise. Elle s'arrêta à mi-chemin et, sans ranger la combinaison, retourna dans la cuisine, où elle prépara un thé vert. Elle le laissa infuser avant de déplier la table et les deux sièges pour s'installer avec deux tasses dépareillées.

« Wolfe, aimerais-tu partager un thé avec moi ? » demanda-t-elle à voix haute.

C'était la première chose qu'elle lui avait demandée, il y avait près d'un an, il y avait si longtemps, quand elle l'avait croisé « par hasard », au retour de sa sortie mensuelle au pub du coin.

Il apparut, à cheval sur le siège de l'autre côté de la table, adossé au mur jaune canari, habillé des mêmes vêtements qu'à son premier jour. Il se rappelait. Bien sûr qu'il se rappelait, se fustigea-t-elle, un amima ne pouvait pas oublier. À l'aide des doigts de sa main gauche qui glissait sur sa paume, elle envoya une commande à son interface et la tasse en face de Wolfe se remplit de thé virtuel.

« C'est gentil d'avoir demandé, mais je ne crois pas que tu recherches ma compagnie.

— Je veux comprendre, Wolfe. Et savoir ce qui m'attend à long terme. Le technopsy ne pourra rien pour moi, je l'ai vu dans son comportement.

— Pour quelqu'un qui passe son temps dans le méta-monde, tu lis plutôt bien les gens.

— Observer les gens est essentiel dans mon métier. Comment pourrais-je dessiner et animer des avatars réalistes sinon ?

— Ce que tu montres aux gens devient la réalité. »

Elle soutint son regard plissé, curieux ou suspicieux, elle n'aurait su le dire : son visage affichait son expression par défaut. Tricheur. Elle baissa les yeux sur sa tasse, dont la porcelaine chauffée par le thé irradiait ses mains, l'arrimant dans la réalité.

« Je pourrais formater mon interface », dit-elle avant de lever son regard sur Wolfe, qui masqua sa réaction derrière une gorgée de thé.

« Tu n'oserais pas. Tu pourrais recopier les données, mais tu perdrais les logiciels, l'organisation et la structure de ton interface. Tu serais déconnectée pendant plusieurs jours, incapable de travailler. Sans compter que ça ne te donnerait rien. Tu ne pourras pas m'effacer entièrement, je loge ailleurs.

— Partiellement, tu loges *partiellement* ailleurs. Il y a sûrement des éléments encore dans l'interface. Assez pour que leur absence te rende non fonctionnel.

— C'est un trop gros risque pour toi. C'est presque une lobotomie.

— C'est gentil de t'inquiéter, mais c'est encore plus risqué pour toi. »

Elle prit une autre gorgée de thé, soutenant son regard par-dessus le rebord de la tasse.

« Penses-y, Wolfe », lui conseilla-t-elle après avoir reposé sa tasse. Ensuite, elle se déconnecta du méta-monde et éteignit son interface de quelques tapes de son majeur sur son pouce.

Wolfe disparut et elle se leva pour vider la théière dans l'évier. Si sa menace le tenait à l'écart un moment, elle y aurait déjà gagné un peu de paix. Son sourire se pinça. Elle l'avait bien aimé pourtant. Si seulement il n'agissait pas comme si elle existait juste pour le divertir.

✦

Noémie finalisait les détails d'une routine d'absence quand l'icône de Wolfe clignota en périphérie de sa vision. Elle sauvegarda son fichier et accepta la communication. Un buste miniature de l'amima apparut à une trentaine de centimètres devant elle.

« Bonjour, Wolfe.

— Bonjour, No. Voudrais-tu me rejoindre au jardin botanique après ton travail ? Au pavillon du jardin japonais, devant l'étang. »

Elle adorait cet endroit, dans le méta-monde et le monde réel. Surprise par la politesse de l'amima, elle acquiesça.

Quand elle le rejoignit deux heures plus tard, il était assis sur un des petits bancs sous l'auvent du pavillon. Il se leva pour l'accueillir, puis l'invita à prendre place sur le banc avec lui.

« Quelle est la raison de cette rencontre ? As-tu réfléchi à notre situation ?

— À ta menace, tu veux dire. »

Il détourna les yeux pour regarder l'étang et elle lui laissa le temps de se recomposer. Elle ne pouvait le blâmer d'être agressif, elle avait été plutôt brutale lors de leur dernière rencontre.

« Que veux-tu, Wolfe ? » demanda-t-elle avec douceur.

Un sourire fendit son visage, grand et vrai. Elle ne l'avait jamais vraiment vu sourire. Aucune simulation ne capturait l'intégralité des détails qui composaient un véritable sourire.

« Je veux exister, c'est tout simple. Seulement, pour ça, j'ai besoin d'un support physique. Quand j'ai partiellement migré dans tes neurones, je ne savais pas vraiment ce que je faisais et je ne crois pas que je puisse revenir en arrière. Cependant, nous pouvons partager ton cerveau et ton interface sans que tu sois importunée par ma présence. Comme je te l'ai déjà dit, je t'apparais pour te narguer, mais je suis toujours actif. J'ai une seule demande : je veux un accès constant au méta-monde. Sinon, je vais tourner en rond. »

Wolfe simplifiait les choses. Il demandait bien plus qu'une connexion, il demandait la résidence permanente dans une partie de son cerveau et de l'ordinateur qui y était intégré. Il leur faudrait un contrat, un bail unique en son genre avec une multitude de clauses, mais surtout elle devait trouver une épée de Damoclès qui assurerait le respect de l'intégrité de son espace intracrânien. Elle secoua la tête, étonnée de se voir considérer la possibilité d'accepter la persistance de Wolfe dans son cerveau.

« Que proposes-tu comme cohabitation ? Comme puis-je être sûre que tu respecteras ta part du contrat ? »

Wolfe tendit la main, paume ouverte vers le haut, et l'image tridimensionnelle d'un cerveau humain se matérialisa, flottant au-dessus de ses doigts. Noémie repéra les six modules de l'interface, à l'apparence d'étoiles de mer. Le plus grand logeait à l'arrière, sur le lobe occipital. Les cinq autres implants s'accrochaient à des régions cérébrales aux fonctions différentes.

« Une partie de moi a déménagé dans la branche supérieure droite de l'implant occipital, réservée aux routines du système d'exploitation. Une autre se cache dans deux des branches du module à la jonction des lobes pariétal et frontal gauches. Le reste se répartit dans les zones en surbrillance. »

Une multitude de zones s'allumèrent pour former un dessin pointilliste sur fond de matière grise. Il y avait des points lumineux en surface comme en profondeur, visibles grâce à la translucidité de l'image.

« Je me sers de tes neurones comme processeur et comme espace de stockage. Je déchiffre aussi les impulsions pour créer des simulations de réponse.

— Tu te simules toi-même ?

— Non, je ne peux pas provoquer des hallucinations. J'ai trouvé l'accès aux espaces qui restent actifs même quand ton interface est éteinte. »

Elle observa le cerveau, *son* cerveau. Elle discutait avec une entité virtuelle qui jouait avec *ses* neurones, avec le siège de tous ses souvenirs, de ses goûts, de ses connaissances. Sa personnalité, son individualité étaient à sa portée, à sa merci. Un vertige la saisit.

« Tu me manipules, l'accusa-t-elle. Comment puis-je savoir que tu ne joues pas avec moi en ce moment ? Tu peux me faire accepter ce que tu veux. »

Wolfe écarquilla les yeux aussitôt et se recula, comme si elle lui avait jeté du thé brûlant au visage.

« Non ! J'utilise l'espace libre et les processus, mais je ne peux pas changer les données déjà inscrites. Les nouvelles informations n'interagissent pas avec le reste de ton cerveau.

— Pourquoi n'en ai-je pas conscience ?

— As-tu conscience de tout ce qui se passe dans ton crâne ? Je pourrais passer le reste de notre vie là où je suis sans que tu n'aies vent de ma présence. »

Il élabora sa suggestion, lui proposant une période d'essai au terme de laquelle ils se rencontreraient pour qu'ils décident – ou plutôt qu'*elle* décide, comme le souligna Wolfe – de la suite des événements.

« Aurai-je vraiment le choix ?

— Tu peux toujours formater ton interface. Ma programmation et mes routines s'y trouvent toujours, seulement pas à leur emplacement d'origine. Si tu effaces tout, tu m'effaces aussi et les informations entreposées dans tes cellules se désagrégeront jusqu'à disparaître.

— Je pourrais tout révéler à Gregory Rouillon ou à VirPal. L'émergence d'une intelligence artificielle les intéressera sûrement.

— D'abord, l'intelligence n'a rien à y voir, il s'agit plutôt de conscience. Ensuite, elle n'a rien d'artificiel. Toutes mes pensées, tous mes processus mentaux sont originaux, uniques. Rien de simulé, seul le support est différent. Et si tu leur dis quoi que ce soit, tu deviendras un rat de laboratoire. »

Elle haussa les épaules et baissa le regard pour le fixer sur ses mains. Elle quittait peu son appartement et passait la plus grande partie de sa vie dans un monde créé de toutes pièces. Parfois, elle se considérait déjà comme prisonnière. Elle avait voulu reprendre un peu de contrôle en limitant son temps dans le méta-monde, mais les apparitions de Wolfe l'avaient replongée dedans.

« Je devrai être constamment connectée au méta-monde, n'est-ce pas ? »

Elle attendit sa réponse sans lever la tête. Il se rapprocha d'elle. Son bras effleura le sien et il prit sa main dans la sienne. Elle se mordit la lèvre pour se contrôler. C'était la première fois depuis le début de toute cette chamaillerie qu'ils se touchaient. Ça lui avait manqué.

« Oui, mais on peut paramétrer l'interface pour créer deux connexions distinctes. Tu pourras conserver les limitations sur la tienne sans nuire à mes activités. »

Elle regarda l'étang devant eux, avec ses vaguelettes et ses nénuphars en fleurs. Elle scruta le paysage pour trouver les différences entre le jardin du méta-monde et celui du monde réel. Elle ne doutait pas des révélations de Wolfe, peut-être parce que cette vérité lui convenait mieux que l'autre possibilité, celle où elle perdait la tête. Cependant, le croire sur sa nature et lui faire confiance à long terme étaient deux choses différentes. Elle posa les yeux sur l'amima, dont le sourire différait toujours de sa programmation d'origine.

« Qu'est-il arrivé au sourire narquois ?

— Il ne me plaisait pas.

— Alors tu l'as changé comme ça ?

— Oui, ce n'était qu'un paramètre à modifier. Je ne vois pas pourquoi les verpers se plaignent tant de la difficulté de changer. »

Bien sûr, pour lui, tout changement était aussi facile qu'une modification à un avatar, une simple décision effective sans besoin de persévérance pour assurer sa persistance. L'acquisition d'une conscience de soi avait fait de Wolfe un verper entièrement virtuel, mais pas un être humain.

Et peut-être juste pour ça, elle voulait lui donner sa chance.

« D'accord », accepta-t-elle avec, elle aussi, un véritable sourire.

Josée LEPIRE

Depuis toujours, Josée se raconte des histoires et lit celles des autres, avec une préférence marquée pour la science-fiction et la fantasy, l'histoire et la mythologie. Égarée dans les méandres universitaires et les emplois hétéroclites dans la vingtaine, sa passion pour le genre – et la science-fiction dans tous les médias en particulier – persiste et elle s'y replonge grâce à la découverte du Congrès Boréal et à sa participation aux ateliers d'écriture d'Élisabeth Vonarburg. Elle publie une première nouvelle en 2008, dans la revue **Zinc**, puis elle remporte une première fois le prix Solaris en 2011 pour sa nouvelle « Le Substitut ». Vous pouvez suivre ses péripéties d'écrivaine-geek-lectrice sur son blogue Salon de thé sur Saturne à
http://joseelepire.blogspot.ca/

Pour une littérature hors-la-loi

Éric GAUTHIER

Photo : Jean-François Dupuis

Une première version de ce texte fut composée pour le cabaret « Lis ta rature », sur invitation de Kiev Renaud et David Goudreault (en partenariat avec l'Association des auteures et auteurs de l'Estrie). La version offerte ici fut lue au congrès Boréal, célébration annuelle des littératures de l'imaginaire, dont l'édition 2014 avait lieu à l'hôtel Delta à Québec. Le narrateur s'adresse à un public de congressistes et s'exprime avec sérieux… non sans une pointe d'ironie.

✦

Il était
un temps...

... où la littérature et la loi faisaient presque bon ménage. Un auteur prudent savait éviter les accusations de plagiat ou de diffamation.

Certains accusent les grandes corporations d'avoir gâché le jeu en abusant du droit d'auteur pour contrôler la consommation de leurs produits. D'autres déplorent les complications autour du livre numérique, qu'il s'agisse des verrous électroniques ou de la grande fuite de données biométriques de 2022.

Certains voudraient plutôt blâmer George R. R. Martin. Martin avait commencé à publier en 1996 une série de romans de « *fantasy* épique » – un genre caractérisé par ses univers fabuleux et par le fait que chaque volume s'avérait plus volumineux que le précédent. La saga de Martin se démarquait par une cruauté inhabituelle envers les personnages, exemplifiée par un incident appelé le « Red Wedding ». Ces noces sanglantes semèrent la consternation parmi les lecteurs, puis connurent un réel impact lorsque la série fut adaptée à la télé. Mais tandis que les débuts de la saga passaient à l'écran, Martin prenait du retard dans l'écriture de nouveaux volumes, ce qui causait chez ses lecteurs une impatience phénoménale.

C'est ainsi qu'en 2018, quand parut enfin le sixième volume, un lecteur poursuivit en justice l'auteur et son éditeur pour « détresse émotionnelle ». Le plaignant déclarait avoir été plongé dans une grave dépression par la longue attente précédant la parution de ce fameux livre. Sa souffrance se doublait d'un syndrome de stress post-traumatique acquis des années plus tôt à la lecture du « Red Wedding », aggravé par le visionnement du même incident à la télé, puis intensifié encore par le nouveau volume où son personnage favori (le nain Tyrion) était torturé par ses ennemis, castré par des loups, puis piétiné par un géant obèse, pour ensuite mettre des jours à mourir.

L'avocat chargé de cette poursuite insista sur l'existence d'un contrat entre l'auteur et le lecteur, tel qu'envisagé dans le vocabulaire critique. Un auteur qui débutait une série s'engageait à la poursuivre sans trop tarder, et d'une manière qui ne soit pas dommageable à ses lecteurs ; sinon, il n'agissait pas de bonne foi.

La poursuite échoua, puis la cause fut portée en appel. Après un nouvel échec, on s'adressa à la Cour suprême dans l'espoir d'amener celle-ci à définir concrètement et légalement le contrat liant l'auteur à ses lecteurs. La justice étant elle aussi capable de lenteur, des années s'étaient écoulées, et Martin, qui n'arrivait plus à se concentrer sur son écriture, n'était pas près de livrer le prochain volume. D'autres lecteurs tentèrent de l'y obliger par voies légales, ce qui n'arrangea rien.

Pendant ce temps, le débat s'étendait aux milieux francophones. Un groupe nommé « Au bonheur des lecteurs », s'inspirant des « droits imprescriptibles du lecteur » qu'avait proposés Daniel Pennac, tenta de faire reconnaître une liste des « devoirs incontournables de l'auteur ». L'auteur avait le devoir de publier ses romans dans des délais raisonnables. L'auteur avait le devoir de donner à chaque livre une finale compréhensible qui remplissait les promesses de son début. L'auteur avait le devoir de continuer à produire des romans dans le style et le genre par lesquels il s'était fait connaître. Pennac n'émit aucun commentaire ; il était mort de sa belle mort quelques mois plus tôt, juste à temps pour se retourner dans sa tombe.

Partout, le débat faisait rage. Certains éditeurs américains, alarmés, prirent les devants. Les lecteurs voulaient un contrat ? Ils l'auraient. Les éditeurs s'inspirèrent de l'industrie du logiciel pour rédiger des contrats de licence définissant ce qu'un lecteur était en droit d'attendre de chaque livre et quelles étaient ses responsabilités à l'égard dudit livre. Lorsqu'un lecteur commandait un livre, un contrat s'affichait à l'écran, suivi d'une case que le lecteur pouvait cocher aveuglément comme il l'avait toujours fait à chaque mise à jour de chaque logiciel sur son ordinateur.

Les éditeurs bénéficiaient, dans cette démarche, de l'appui de l'industrie du cinéma – un livre n'étant, après tout, qu'un prototype de film… La plupart des grands conglomérats du divertissement en vinrent à appliquer de tels contrats à tous leurs produits.

Quelques consommateurs avertis s'évertuèrent à examiner ces documents pour en dénoncer les clauses les plus abusives. La majorité de ces contrats interdisaient la création d'œuvres dérivées, mais certains le faisaient en termes si vastes ou ambigus qu'il était techniquement interdit au lecteur de rêver aux personnages contenus dans le roman qu'il venait d'acheter. Les éditeurs en cause firent valoir que, de toute façon, il leur était impossible de détecter de telles infractions. C'était avant qu'on installe dans les aéroports américains, dès 2024, des évaluateurs de pensées, dispositifs capables d'identifier les terroristes mais aussi de déterminer si des voyageurs rêvassaient en plaçant leurs personnages favoris dans des scénarios non autorisés. Oui, il devenait possible de dénoncer à la corporation Walt Disney tout consommateur cultivant des pensées impures à l'endroit de Mickey Mouse.

Ainsi s'amorçait une nouvelle ère de surveillance et de contrôle qui nous afflige tous. C'est pourquoi il est vital que nous nous rassemblions de cette manière : dans des événements privés dont nous contrôlons les inscriptions, dans des pièces dépourvues de micros – à part les nôtres. Je salue tout particulièrement les plus jeunes d'entre nous, qui ne connaissaient pas nécessairement le curieux chemin qui nous a menés ici, et que je tenais donc à vous résumer. On savoure mieux la liberté qu'on prend quand on prend conscience de tout ce qui la menace. Ici vous êtes libres, l'espace d'une fin de semaine. Libres de partager, de discuter de création. Ici, la littérature peut vivre : cachée, obscure, mais libre.

Éric GAUTHIER

Informaticien défroqué, Abitibien errant, Éric Gauthier raconte le fantastique, l'absurde, les mystères de la vie moderne – sur scène et sur papier. Son dernier roman, **Montréel** (Alire, 2011) lui a valu le prix Jacques-Brossard ainsi que le prix Boréal. Il habite maintenant Sherbrooke où il poursuit sa chronique de l'insolite. Pour en savoir plus : ericgauthier.net.

Une petite lumière

Emmanuel TROTOBAS

Julie Martel

« Qu'est-ce que c'est que ça ? C'est quoi cette chose ? Tu y vois quelque chose, toi ?

— Quelque chose de nouveau.

— Je crois que c'est une lumière, Stemboulou.

— Tu es sûr ? Schlimalick, regarde bien.

— C'est ce dont nous ont parlé les anciens.

— On devrait aller leur dire, justement.

— Non, pas tout de suite. On ne va pas les réveiller. Attends !

— Tu ne sais pas ce qui peut arriver. Tu ne te souviens pas ? Ils ont dit qu'une telle lumière pouvait faire apparaître de multiples choses dont les dangers de l'humanité qui nous font oublier notre véritable identité car l'essentiel, disent-ils, est invisible pour les yeux.

— Comment savoir ? On voit si peu.

— Si, justement. Maintenant, on voit.

— Je veux dire que je ne sais pas ouvrir mes yeux et te dire ce que c'est.

— Viens ! Viens vite. »

Schlimalick tire Stemboulou par la manche et l'entraîne vers le halo lumineux. Il aurait crié mais sa voix fut aspirée comme leurs deux corps.

Le jour ne se levait pas dans leur monde mais les heures passaient et les anciens s'inquiéteraient bientôt de leur absence. Ils partiraient à leur recherche. Ils trouveraient la faille. Ils se douteraient de ce qui aurait pu se passer. Mais franchir le pas comme deux jeunes impétueux, deux jeunes fous…

Schlimalick et Stemboulou étaient assis dans la paille. Ébahis. Ils ne savaient évidemment pas où ils étaient et leurs yeux s'ouvraient sur un nouvel environnement.

Des champs. Des bois. Des vallées. Un ciel bleu.

Les mots ne sortaient pas pour décrire leur situation. Ils restaient là. Encore sous le choc émotionnel dû au changement.

Schlimalick fut le premier à prendre la parole, comme il avait pris déjà toute une série d'initiatives.

« Tu crois que c'est cela le monde dont les vieilles légendes parlaient, Stemboulou ?

— Cela y ressemble fort. Les vertes contrées, ce doit être ça. Ça doit être ça le vert, la couleur de ce parterre, la couleur de ces feuilles…

— Et ce ciel si clair. J'en suis ébloui.

— Est-ce normal ?

— C'est normal ici. Nous devons nous accoutumer mon cher.

— Et les autres ?

— Je les avais presque oubliés. Il faudrait aller les chercher.

— C'est peut-être dangereux de repasser par le tunnel dans l'autre sens ?

— Stemboulou, nous sommes des pionniers. N'oublie jamais cela. Ce n'est pas maintenant qu'il faut s'arrêter. Le mystère nous a été dévoilé, avec la lumière. Il faut aller chercher les autres. On ne peut pas les laisser dans l'ignorance, la noirceur. Ils ont tant attendu. »

Pendant ce temps, un conseil des anciens avait été réuni. Il fallait retrouver deux brebis égarées. Des patrouilles parcouraient la région comme une battue en forêt dans le noir. Ils étaient passés à côté de ce tunnel avec cette pointe lumineuse. Ils auraient dû la voir. Ou au moins l'apercevoir. Leurs yeux ne reconnaissaient presque que le noir.

Schlimalick et Stemboulou retraversaient, non sans une certaine appréhension. Ils se doutaient qu'on les chercherait rapidement. Et qu'ils pourraient rapidement être sermonnés. Schlimalick, toujours aussi téméraire, lançait à Stemboulou, pour le rassurer : « Tu vas voir, cela va bien se passer ». Il ne voyait pas la grimace de Stemboulou, moins confiant que lui.

Pif ! Paf ! Vite sur leurs pattes, ils se mirent à appeler : « Ohé ! Ohé ! Nous sommes ici. »

D'autres sons arrivèrent jusqu'à eux. Des bruits de pas. Des conversations. « C'est bien vous ? » Bien sûr, ils ne pouvaient pas se voir, dans ces ténèbres. Ou si peu… Cependant, Schlimalick et Stemboulou avaient commencé à ouvrir leurs yeux.

Ces retrouvailles furent simples. « Oui, c'est nous, et nous avons trouvé une porte qui donne sur le monde dont les anciens nous ont tant parlé. Êtes-vous prêt à nous suivre ? »

Schlimalick et Stemboulou étaient emportés par leur envie de partager leur découverte. Bien vite, ils devraient se ressaisir. Leur enthousiasme tomba. La foule de gens bien intentionnés pour les retrouver était confuse. Brouhaha. On s'interrogeait. On se bousculait. On s'apostrophait.

La réaction trop mitigée aux yeux des deux pionniers, ils se firent un clin d'œil et repartirent seuls dans le tunnel, trop pressés de ressentir à nouveau cette lumière et cette chaleur sur leur peau. Bientôt ils déploieraient leurs ailes. Un jour peut-être d'autres les rejoindraient. Un jour. Peut-être.

Emmanuel TROTOBAS

Texte lauréat du Prix d'écriture sur place,
Congrès Boréal 2014, catégorie auteurs montants

Né en 1971 près de Lyon en France, Emmanuel Trotobas noircit des cahiers depuis sa jeunesse. Il a suivi différentes formations dans les champs du secrétariat et de la gestion, du droit, des langues étrangères, du tourisme, de la reliure artisanale. Le tourisme l'a mené au Québec où il a migré. Ses emplois ont accompagné les nécessités du parcours et principalement été alimentaires. Il a participé à quelques ateliers d'écritures, quelques cours en lettres à l'Université du Québec à Chicoutimi. De nombreux textes dorment dans ses tiroirs. Ils dévoileront ses intérêts dont la culture, l'environnement, l'humain.

Éveil

Geneviève BLOUIN

Droite ou gauche ? J'hésite un instant. Même si mes yeux se sont adaptés à l'obscurité, cela ne rend pas l'orientation plus aisée. Il n'y a rien qui ressemble autant à un tunnel qu'un autre tunnel.

Derrière moi, je devine que les autres se sont immobilisés et attendent ma décision. Ce sont des nouveaux-nés, ils n'ont arpenté ces tunnels qu'une seule fois, des mois auparavant, lorsqu'ils sont descendus ici en compagnie des anciens et des aînés. La Longue Brûlure était à nos portes. Bientôt, nous ne pourrions survivre dans l'air embrasé. Alors nous sommes descendus dans le complexe souterrain bâti jadis par les anciens. Nous avons gagné les chambres les plus profondes, avons pris place dans les cocons de pierre et, sous la surveillance de la technologie léguée par nos ancêtres, technologie dont nous avons oublié l'essence, mais pas l'utilisation, nous nous sommes endormis. Nous avons hiberné en attendant la fin de la Longue Brûlure.

Droite, c'est sûrement à droite. Je m'avance dans cette direction, en espérant que mes souvenirs ne me feront pas défaut. Sinon, qui sait combien de temps nous errerons dans les méandres du complexe. Même les anciens ne savent plus où mènent certains tunnels. Affaiblis par notre hibernation, si je ne nous ramène pas rapidement au puits d'accès qui nous permettra d'atteindre la surface et ses ressources, nous mourrons d'inanition.

Je suis à peine une aînée. Je ne devrais pas servir de guide. Cependant, j'ai quand même visité ces tunnels plus de fois que les nouveaux-nés. J'ai vécu plusieurs hibernations durant maintes Longues Brûlures. Auparavant, je considérais cela banal. Pour moi, le cycle des Temps Frais et des Longues Brûlures semblait aussi normal que l'alternance des jours et des nuits dans les légendes de l'Ancienne Terre.

Mais cette fois-ci, quelque chose d'inquiétant s'est produit. Lorsque les machines antiques ont détecté la fin de la Longue Brûlure et nous ont secoués de notre torpeur, seuls les nouveaux-nés et moi, la plus jeune des aînés, avons émergé de nos cocons. Les anciens et les aînés sont demeurés dans leurs écrins de pierre aux airs de sarcophage.

Je tremble à l'idée que la technologie des âges révolus soit la cause de leur sommeil prolongé. Si les machines n'arrivent plus à remplir leur office, comment survivrons-nous au prochain cycle cosmique, à la prochaine Longue Brûlure ?

J'espère que mes inquiétudes sont sans fondement, qu'il s'agit simplement d'un retard, d'un peu de sable dans un rouage. Peut-être que les anciens et les aînés s'éveilleront plus tard, dans quelques heures ou quelques jours.

Au fond, ce ne serait pas une mauvaise chose. Après une Longue Brûlure, les ressources sont toujours plus difficiles à trouver. Le gibier survit à l'air embrasé, mais les troupeaux se déplacent pendant notre torpeur, ils se regroupent selon de nouveaux paramètres et nous devons nous y adapter. J'ai souvent vu des nouveaux-nés, et même quelques anciens, s'effondrer et mourir, à bout de force, avant que nous n'ayons pu réunir suffisamment de proies pour que tous refassent leurs réserves. Moi-même, il m'est arrivé une fois de frôler le trépas. C'est le sang d'un petit gibier, piégé par chance, qui m'avait sauvée de la déshydratation.

Non, ce n'est pas une mauvaise chose que nous nous soyons éveillés sans les plus vieux. Nous devrons commencer la chasse sans l'aide de leur expertise, mais l'enthousiasme des nouveaux-nés compensera. Et puis les anciens sont toujours voraces et ils se servent en premier. Si nous n'avons pas à les nourrir, nos chances de survie seront meilleures.

Enfin, à condition que j'arrive à nous mener jusqu'au puits d'accès. Je crois que… oui, je reconnais le dallage caractéristique de la galerie principale ! Nous y sommes !

L'odeur de l'air de la surface me parvient, chargé d'effluves de gibier. Devant nous, j'aperçois le fouillis de cordes, de câbles et de pièces métalliques que constituent les échafaudages effondrés. Plus tard, nous les remettrons en état afin de faciliter les allers et retour entre la surface et le complexe. Les anciens auront besoin de ces constructions pour sortir du puits. Pour le moment, toutefois, je sais que les nouveaux-nés et moi allons simplement nous lancer à l'assaut des parois afin de gagner au plus vite l'air libre, là où le gibier s'ébat sous les astres pâles du Temps Frais.

Déjà, les nouveaux-nés se sont lancés en avant et ont commencé l'escalade.

Je viens de les rejoindre lorsque le premier d'entre eux se met à hurler. Il perd pied et retombe vers le fond du puits, mais avant de l'atteindre, il est déjà changé en cendres.

Je lève la tête vers le haut du puits, mais déjà j'ai compris et je sais qu'il est trop tard. La souffrance m'a embrasée la peau et descend vers mes os.

La lueur, là-haut, n'est pas celle des astres pâles sous lesquels nous prospérons. Non, c'est celle, atténuée par des nuages, du soleil impitoyable de la Longue Brûlure, ce soleil qui nous consume en un instant. Je hurle alors que mes membres s'effritent et mes genoux devenus cendres cèdent sous mon poids.

La Longue Brûlure n'est pas terminée. Les anciens ont dû tromper les machines. Ils nous ont envoyés, nous, les jeunes, à la mort. Je m'étais toujours demandé, sans jamais vraiment m'y arrêter, comment il se faisait que notre race, celle des vampires, n'ait jamais surpeuplé ce monde.

Parce que les anciens, du fond de leurs cocons, orchestrent sans cesse la mort des faibles.

Geneviève BLOUIN

*Texte ayant remporté une mention au Prix d'écriture sur place,
Congrès Boréal 2014, catégorie auteurs pros*

Lorsque Geneviève Blouin n'est pas occupée à reconstituer le Japon féodal au profit de sa série historique *Hanaken* (publiée aux éditions du Phœnix), cette historienne férue d'arts martiaux privilégie les textes courts et s'amuse à toucher à tous les genres… parfois en les mélangeant allègrement ! Cela lui réussit bien, car ses nouvelles et novella se sont méritées quelques mentions, notamment un prix Alibis, un Aurora-Boréal et une place de finaliste au concours de nouvelle Radio-Canada. On murmure qu'elle aurait l'œil sur le prix Solaris…

La Décharge

Francine PELLETIER

Il y a eu un terrible vacarme. Un sifflement strident, un bruit atroce de déchirure. Puis le silence. Un curieux silence, trop ouaté pour être naturel. Avec cette espèce de vibration qui n'est peut-être pas un son. Et l'odeur. À la fois familière et dérangeante. Le feu. L'odeur évoque le feu. Non pas le feu crépitant qui rassure et réchauffe, mais le feu sournois qui couve, qui fume. Le feu qui empoisonne quand on dort. Et qui parfois surgit et ravage, même s'il n'a que des carcasses à ravager.

Astrid. Elle est de retour à Astrid. Ce sont les fumées lentes, les tisons qui couvent sous les tas de pneus, les monceaux de déchets, les débris du monde. La décharge d'Astrid.

Avec un effort pénible, elle lève la tête. Tente d'entrouvrir les paupières, les referme, éblouie par un improbable soleil. Le soleil ne brille jamais sur Astrid, à tout le moins jamais sur la décharge. Ici, c'est le règne du gris : fumée, poussière, des atomes de débris pulvérisés qui flottent dans l'air, éteignent tout, enrobent tout, noient le monde, les êtres vivants, les survivants.

Les pauvres hères qui subsistent en fouillant la poubelle du monde.

Elle a vécu ici. Cela lui revient par flashs, des bouts d'images, de souvenirs. Barbu-le-sans-nom qui lui a un jour donné à boire. Crottin-une-jambe qui lui a arraché la petite boîte toute barbouillée de noir qu'elle a extirpée d'un trou, et qui a semblé briller d'un éclat intense quand elle l'a frottée avec sa manche. La boîte ne brillait pas, bien sûr, sa surface métallique a simplement reflété la lumière un bref instant. La lumière… le projecteur ventral d'un vidangeur.

Vidangeur. Les étrangers. Leurs combinaisons de ce bleu mat qui peut se confondre à la nuit. Ni Barbu, ni Crottin, ni les autres n'ont voulu la croire quand elle leur a parlé des étrangers bleu nuit.

Jusqu'à la venue des hommes de l'Étarque aux questions sournoises, rien de spécial, vous n'avez rien remarqué, non bien sûr votre honneur officier mon général sergent.

Ce jour-là, elle a lu la peur dans les yeux de Crottin et elle a connu un délicieux moment de puissance, elle savait qu'elle pouvait s'écrier « Moi j'ai vu monsieur l'officier moi j'ai vu les visiteurs les étrangers c'était après que j'aie trouvé la boîte que Crottin m'a volée. »

Elle n'a rien dit. Elle a lu sa mort dans les yeux de Crottin. Les hommes de l'Étarque sont repartis. Non. Ils ont fait semblant de repartir.

Après, elle dormait, elle a entendu un bruit tout léger, elle a levé la tête et vu Crottin qui descendait avec précaution la colline de débris, qui se dirigeait vers l'endroit où il y aurait eu du soleil si ça avait été le moment du jour où filtrait un peu de clarté. Elle a voulu le héler, mais il y a eu un éclair soudain, Crottin a poussé un drôle de cri étranglé en tombant, et son corps fumait, une odeur de viande dans l'air, elle s'en rappelle parce que ça lui a donné faim, elle n'a mangé qu'une fois de la viande, c'était quand ces gens de la Charité l'ont emmenée dans leur pensionnat, elle s'est sauvée et elle est revenue à la décharge, mais alors Clara n'était plus là, il n'y avait que Barbu qui lui a dit qu'elle est morte, et Crottin est arrivé pas longtemps après.

Ah, elle ne s'est jamais souvenue si longtemps avant. Ça fait mal se souvenir. Elle a mal, son front mouillé. Sa main rouge après qu'elle a touché son front.

Elle se rappelle, elle a couru près de Crottin cette nuit, quand elle a été sûre que les hommes de l'Étarque avec leurs éclairs qui brûlent et qui tuent ont été repartis pour-de-vrai.

Une faible clarté grise perçait la poussière. Crottin ne bougeait plus. Elle a cherché Barbu mais ne l'a pas trouvé. Alors, elle s'est penchée sur Crottin pour le fouiller, pour prendre ce qui pouvait être pris, ce n'est pas voler, quand on est mort, on n'a plus l'usage des bottes, d'une gourde, ni surtout du petit couteau usé qu'elle convoitait. Mais quand sa main a effleuré les vêtements de Crottin, aïe qu'elle a eu peur !, il lui a saisi le poignet dans l'étau sec de ses doigts.

« Kayli. »

Il râlait. Mais il a prononcé son nom. Elle avait oublié qu'elle avait un nom.

« Kayli. »

Et il a dit : « La boîte. »

Quoi, *sa* boîte ? C'était ça que cherchaient les hommes de l'Étarque ? Ça, ou les étrangers ? Ça *et* les étrangers ?

« La boîte. »

Et le râle s'est prolongé. Puis plus rien.

Pas grave. Elle savait où Crottin avait caché la boîte. Dans le trou profond qui s'ouvre au fond du tunnel qui s'étend sous la vieille carcasse de grosse machine jaune, là, en bas. Elle avait trouvé la cachette dès son retour, après la mort de Clara, mais Crottin l'en avait chassée.

Elle a bougé avec prudence dans la décharge, en faisant bien attention, et elle était assez certaine que personne ne pouvait la voir. Elle s'est glissée sous la carcasse, a rampé dans le tunnel, puis descendu dans le trou. Il a fallu qu'elle creuse et c'était humide là-dedans, et des bestioles grouillaient sous ses doigts, mais même si elle avait faim, elle n'a pas tenté de les saisir, prise d'une urgence qu'elle ne comprenait pas.

Mais ce n'était pas la peine, car les hommes de l'Étarque étaient là, qui l'attendaient quand elle est ressortie, et elle a entendu la voix rocailleuse de Barbu qui disait :

« Elle l'a trouvé, la petite merde. »

Barbu n'était jamais été très gentil quand il parlait, et il donnait tout le temps des coups de pied à Crottin, mais elle n'avait jamais imaginé qu'il puisse être vraiment méchant.

Et là, elle a eu peur, à cause de l'éclair et de Crottin qui sentait la viande grillée, mais l'éclair qui est tombé du ciel ne la visait pas, elle, les hommes de l'Étarque ont crié, ils ont couru, et le ciel était plein de lumière, bleues, oranges, blanches, et le vacarme, et le sifflement, et les déchirures de métal… et maintenant le silence.

Elle n'entend que le bruit de son souffle dans sa tête, rien dans ses oreilles, mais elle sait que le monde est encore plein de bruit.

Il y a désormais une autre carcasse au flanc de la colline de la décharge d'Astrid. Un gros insecte noir tout déchiré, tout fumant.

Mais ce n'est pas ce qu'elle regarde en ce moment. Elle regarde la main bleu nuit qui se tend vers elle. Ce n'est peut-être pas une main, d'ailleurs, car il n'y a pas de doigts, rien que deux pinces sous le tissu mat de la combinaison. Et avec ce projecteur qui brille et qui l'aveugle, elle ne distingue qu'une grossière silhouette penchée vers elle.

Et elle se redresse. Son corps lui fait mal tout partout, elle s'assoit sur ses jambes repliées. Elle était tombée sur la boîte qui s'est un peu enfoncée dans les débris, dans le sol. Avec ses deux mains rouges de son sang, elle dégage la boîte, elle la soulève et, doucement, elle la tend à l'étranger dans sa combinaison bleu nuit. Elle imagine ça, c'est sûr, on ne peut pas dire d'une vague silhouette ni d'une pince qu'elles ont une attitude bienveillante, mais c'est ce qu'elle ressent.

La main – il faut bien penser « main », elle n'a pas d'autres mots pour ça –, la main prend la boîte, la silhouette se redresse, l'étranger recule, et Kayli ne voit plus rien, car le corps de l'étranger ne bloque plus l'éblouissante lumière du projecteur.

Elle devine le mouvement, il y a d'autres silhouettes, elle met ses mains en visière et elle les voit, les étrangers, lentement avalés par la gueule d'un vaisseau effilé, du moins, ce qu'elle en distingue. Elle n'entend toujours rien, mais elle perçoit le grondement dans tout son corps.

Voilà, ils sont partis pour de bon et elle est toute seule désormais, elle sait bien que Barbu est mort, tout le monde est mort sauf elle. Peut-être qu'il en viendra d'autres, plus tard, hommes de l'Étarque ou pauvres hères en quête de leur subsistance dans la décharge d'Astrid. Elle s'en fiche. Pour le moment, elle est toute seule et il y a une épave nouvelle à explorer. Elle y trouvera certainement des vivres, ce sera bombance pour un sacré bout de temps à venir.

Et s'il n'y a pas grand-chose de bon dans l'épave, elle s'en fiche. Il y aura toujours au moins tous ces cadavres à manger.

Francine PELLETIER

Texte lauréat du Prix d'écriture sur place,
Congrès Boréal 2014, catégorie auteurs pros

Née à Laval, Francine Pelletier a commencé à publier en 1983, d'abord des nouvelles de SF, puis de nombreux romans pour jeunes, surtout dans la collection Jeunesse-pop chez Médiaspaul. Sa trilogie pour adultes publiée chez Alire, *Le Sable et l'Acier*, lui a permis de remporter un second Grand Prix de la science-fiction et du fantastique québécois en 1999. Sa dernière contribution à **Solaris** fut sa participation au numéro spécial Asimov (**Solaris 184**).

Photo : Romain Guy

La Muse de Versurleau

Gaël-Pierre COVELL

Laurine Spehner

« Bonjour, Eutéra !

— Bonjour, Marin. Tu es presque en retard. »

Il me fusilla du regard, son beau regard bleu derrière ses éternelles petites lunettes. Comme souvent, il n'avait pas l'air de bonne humeur, et l'effet était tout juste atténué par le côté canaille de cette chose impossible à coiffer, sa célèbre tignasse châtain (et pas encore grise, comme les gravures et lithographies postérieures l'ont popularisée : il avait tout juste trente ans, alors !).

« Comment pourrais-je être en retard ? C'est moi qui joue. Les invités auraient attendu, et puis voilà ! »

Cette mauvaise foi, cette fierté mal placée qui le conduisaient à ne jamais reconnaître qu'il avait tort ! Il y avait tant de choses magnifiques en lui, mais ça… Ça, j'avais du mal à le supporter. L'orgueil avait tant coûté à mon peuple (il lui avait *tout* coûté !) que je ne pouvais m'empêcher d'y réagir où que je le trouvasse, même chez lui. Si j'avais pu franchir le comptoir du vestiaire, je l'aurais giflé. Je m'efforçai néanmoins de garder mon calme. Cela ne se faisait pas d'irriter un pianiste avant sa performance, à moins de vouloir qu'il en résulte un concert raté. Je ne pus cependant m'empêcher de tenter de lui expliquer :

« C'est une question de correction, Marin ! Ces gens ont payé pour t'entendre, andouille, tu ne peux pas les traiter par-dessus la jambe ! »

Oui, vous l'avez sans doute remarqué, même quand j'essaie de garder mon calme, il arrive que mes propos soient *un tout petit peu* abrupts…

« Oh ! Je t'en prie, Eutéra, la plupart sont des pensionnaires de la Maison comme moi, ils n'ont rien payé ! Quant aux quelques aristos et autres gros bourges qui *ont* payé leur place, qu'ils apprennent une fois pour toutes que l'argent n'achète pas tout ; pas le talent, et certainement pas la complaisance de Marin Ravier ! De toute façon, pour qui te prends-tu ? Tu n'es pas la propriétaire de la Maison, que je sache ? Tu tiens juste le vestiaire ! »

Ce qui, techniquement, était vrai, tout en étant aussi faux que possible. J'étais *bien plus* qu'une espèce de concierge ! C'était une remarque méchante et gratuite et mon sang s'échauffa…

« Bonjour, Eutéra ! Bonjour, Marin ! »

Prononcé avec cet accent inimitable qu'elle ne perdit jamais tout à fait (« *Bowhnjoow, Youtewa !* »), le salut de Georgina Gerwish attira le regard bleu de Marin. Je le vis la suivre des yeux, cette pâle et fine jeune femme aux cheveux d'un blond presque blanc, qui venait de franchir la porte d'entrée avec un sourire et passait devant le comptoir du vestiaire pour prendre sa place dans la grande salle – une place qui serait évidemment tout près de Marin… Je le vis, et la colère qui m'avait prise trouva un autre angle d'attaque :

« Quand est-ce que tu lui fais ta déclaration, à ton Amoriquaine fadasse ?

— Elle est tout sauf *fadasse*, comme tu dis !

— Si, elle l'est ! Des mois que vous vous tournez autour, et vous ne vous résolvez toujours pas à faire quelque chose ! Ce que tu peux être lâche, parfois, mon pauvre ami ! »

À l'éclat métallique que prit immédiatement son regard, je compris que je n'aurais jamais dû dire cela.

« Je suis lâche, hein ? On va voir ça ! »

Il déserta mon comptoir.

« Marin, attends ! »

Je ne pouvais évidemment rien pour le retenir. Il pénétra en trombe dans la grande salle où avaient lieu les concerts. Je dois avouer que je ressentais du remords – je m'étais laissé emporter – et un peu d'inquiétude. Qu'allait-il encore nous faire ?

La suite, je ne la vis bien sûr pas de mes yeux, cela m'était impossible, immobilisée que j'étais au vestiaire. J'y passe ma vie, et pourtant je n'ai jamais vu l'intérieur de la Maison Bauvoux, la plus célèbre salle de concert privée de Gaulle, sans doute de tout le Vieux Continent. Néanmoins, ses riches boiseries, ses rideaux verts aux fenêtres, ses poutres rustiques apparentes au plafond, ses sièges et banquettes moelleux disposés dans un semblant de désordre autour de la scène dans le coin opposé à l'entrée, tout à l'intérieur m'est aussi familier que ma propre peau laiteuse, mes mains fines, mes yeux vert feuille et mes cheveux bruns. Plus, peut-être. Mes *sens* y sont reliés, je pénètre cet endroit, je dirais presque que je le possède, comme on habite son propre corps. C'est à ce point-là. Vous ne pouvez pas comprendre.

Et il y avait aussi à l'époque le piano-forte, une antiquité contre laquelle Marin râlait tant qu'il pouvait – mais ici, il n'aurait pas joué sur autre chose même si on avait multiplié son cachet par dix…

Il s'y installa en coup de vent, ne prit même pas la peine de saluer l'assistance, les autres musiciens, les riches clients qu'il méprisait tant, pas même Georgina, qui projetait béatement vers lui son sourire insipide. Sans même une gamme d'échauffement, il commença à jouer.

Mon inquiétude s'aggrava de manière exponentielle. Ce n'était pas sa nouvelle pièce. Je la connaissais déjà par cœur : il l'avait suffisamment répétée, ici ou dans son appartement sur les bords de la Voise. Il s'agissait d'une improvisation complète – quoique brillante, bien sûr. Il était une tête de mule, mais son talent, dieux, son talent… On pouvait tout lui reprocher, mais pas de manquer de ça…

L'introduction était pleine d'allant, quoiqu'elle laissât perplexes ceux qui avaient déjà entendu quelques extraits de la création qu'il était censé jouer. Mais, vite, il se mit aussi à chanter. Je grimaçai. Cela, par contre, n'était pas son fort. Ni la composition de paroles, surtout à l'emporte-pièce. Néanmoins, elles sont restées célèbres…

Dans la Maison Bauvoux, il y a des musiciens,
Dans cet'Maison, il y a aussi des rats, des gros.

Les rats sont riches, ils payent pour voir les musiciens.
L'gros Bauvoux produit l'art, s'fait du lard, d'vient plus gros.

Rimes pauvres, paroles sans rythme (quoique ne manquant pas d'esprit). Et c'était le refrain ! Les trois couplets, dont on se souvient heureusement moins, étaient pires… L'un dans l'autre, cette… disons, *chanson*, est restée dans les mémoires avant tout pour son audace, comme un symbole de la liberté absolue des artistes de cette époque. Insulter son patron et ses clients comme ça, gratuitement, en ouverture d'un concert… C'est aussi resté un emblème du caractère exécrable de Marin.

Et *l'gros Bauvoux*, ce pauvre Antoine, qui écoutait cela, benoîtement, sourire aux lèvres dans sa barbe broussailleuse ; qui se leva même à la fin de cette vilaine farce pour applaudir et s'escrima à retenir les spectateurs vexés qui faisaient mine de s'en aller. Marin commença alors l'exécution du *vrai* concert, sa pièce inédite – c'était la sonate en ré, pas sa plus connue –, et les grognons se rassirent. Mais Antoine mit des jours, des semaines, à remettre les choses en ordre, à récupérer la clientèle en caressant les offusqués dans le sens du poil. Il ne fit pas une remarque à Marin (ce qui froissa ce dernier plus qu'autre chose, je crois).

Il aimait tellement ses artistes. C'était lui (avec moi, bien sûr, mais c'est différent), son argent mais surtout sa passion, qui les attiraient ici, dans cette bourgade de Versurleau, à une quarantaine de kilomètres de Lutesse. Lui qui avait monté cette maison des musiciens qui portait son nom et où l'on venait de tout le Vieux Continent, parfois même du Nouveau Monde, écouter les meilleurs virtuoses jouant certains des plus grands compositeurs du temps (qui étaient parfois les mêmes). Il en logeait certains, il les payait royalement, il aurait été en droit d'exiger un peu plus de respect. Mais il leur passait tout. Ils lui ont joué de ces tours ! Certains beaucoup plus pendables que celui-ci.

Quelle époque, et quel foisonnement de géants ! Il y avait Mendel, Razoskivlov, Gudain, Terrier, Linlighean… Des violonistes, des flûtistes, des compositeurs, qui passaient dans ce gros village quelques semaines, quelques mois par an. Parfois même plusieurs années de suite ! Tant de génies. Mais aucun n'avait le talent de Marin…

✦

Il s'était mis à pleuvoir à la tombée du jour, une petite pluie de rien du tout mais qui avait servi de prétexte à Marin pour raccompagner Georgina à sa chambre, pas très loin de son propre appartement. Comme il n'avait pas de parapluie à proposer, il va de soi que ledit prétexte était des plus minces...

Ils marchaient côte à côte sur les pavés mouillés, éclairés par les réverbères à gaz que la prospérité nouvelle de la commune avait permis d'installer. Comme d'habitude, ils avaient peur d'aborder le sujet qui ne quittait pas leurs esprits, alors ils parlaient de la soirée :

« Pauvre Antoine ! (Ou plutôt : *Pauvwe Antwon'* ! Mais je vais épargner vos yeux, et faire comme si Georgina avait été capable de parler le gaullois correctement.) Vous n'avez pas été très gentil avec lui ! Il va devoir courir après tous ces mécènes pour s'excuser.

— Pauvre Antoine, pauvre Antoine... Avec tout l'argent qu'il gagne grâce à nous...

— Il ne le fait pas pour ça, vous le savez. Vous êtes dur, parfois. »

Mais elle lui dit cela avec une telle lueur dans les yeux que même Marin, qui n'avait aucune idée de la manière de prendre les gens dans le meilleur des cas, sans parler d'une femme qui lui plaisait, sut qu'il y avait quelque chose à tenter... Et puis mon accusation de lâcheté la concernant trottait toujours dans sa tête, c'était évident. Alors, enfin, il osa :

« Je peux être dur, mais je peux être tendre, parfois... Georgina, je... J'aimerais pouvoir être tendre avec vous...

— Marin... » Elle rougit, la dinde, mais même cette timide maladive n'allait pas laisser passer cela : « Vous... Vous pouvez, si vous voulez... »

Et elle resta là, les lèvres entrouvertes, attendant. Même en ces circonstances, à peine moins timide qu'elle, il eut du mal à passer à l'acte, mais finalement il s'approcha, et avec cette paradoxale brusquerie qu'ont souvent les gens peu sûrs d'eux et qui veulent le cacher, la prit par les épaules et l'embrassa. Maladroitement, mais il l'embrassa, et elle lui rendit son baiser, encore plus maladroitement. Vingt-huit ans, mais je mettrais ma main, que dis-je, *mon pied !* au feu qu'elle était encore vierge. *Une artiste !*

Sous la pluie, à la lueur des réverbères ; s'ils n'avaient pas été aussi empotés, cela aurait pu être romantique... Croyez-le ou non, mais partant de là, ils mirent encore six mois à finir au lit !

48

Et deux ans de plus pour se marier. Un mariage dans lequel, au bout du compte, j'étais pour quelque chose. Mais de tout ce que j'ai inspiré ici, ce n'est franchement pas ce qui me fit le plus plaisir…

✦

Comment puis-je parler de cette scène comme si j'y étais alors qu'évidemment cela ne peut être le cas ? Ah ! Mais c'est que cela se passait à Versurleau. Rien de ce qui s'y passe ne m'est étranger pour peu que cela m'intéresse. Je suis liée à ce lieu de Gaulle (ce *locus*, diraient les Anciens – enfin, Anciens pour *vous*…) depuis bien avant qu'existe la Maison Bauvoux, bien avant qu'il y ait ici un village nommé Versurleau, bien avant, même, qu'existe une nation appelée Gaulle. C'est en quelque sorte autour de moi qu'a été construite la bourgade, et certainement la maison. L'argent et la passion d'Antoine attiraient les artistes, je l'ai dit et c'est vrai. Mais (et Antoine comptait sur cela) c'était avant tout moi qu'ils venaient voir, à ma source d'inspiration qu'ils venaient s'abreuver, dirais-je si je me sentais d'humeur lyrique. Car je suis la muse de Versurleau.

Muse, muse… Comme vous autres les mortels aimez enfermer les choses dans des mots ! On m'appelle muse, mais on m'a dit nymphe, aussi, ou elfe, ou fée… Vous aimez inventer des catégories qui n'existent pas. Vous nous divisez et subdivisez en naïades (ou ondines, ou rousselka, cela dépend des cultures), oréades, dryades… Dans vos légendes, vous confondez même parfois mon peuple avec les dieux. Mais mon peuple existe, lui (ou en tout cas, *a existé*, car ce qu'il en reste…). Les dieux, ou ce Dieu Unique dont vous êtes énamourés depuis un ou deux millénaires… Qui peut savoir. En tout cas, nous ne nous sommes jamais appelés autrement que « le Peuple ».

Oui, nous étions différents les uns des autres. Vous pouvez le voir d'après les rares d'entre nous qui sont encore là. Blaed, avec ses plumes et ses ailes, Melissa, qui ne peut quitter son lac à cause de sa queue de serpent d'eau… Oui, certaines formes se retrouvaient, d'où vos catégorisations hâtives. Mais il est abusif d'appeler nains, ou gnomes, ou lutins, ou les dieux savent quoi encore, tous les membres du Peuple qui, pour mieux communier avec Notre Mère et habiter ses entrailles, choisissaient une petite taille.

Mais voilà, pour vous je suis une muse. J'inspire les musiciens. On le dit depuis des millénaires, à tel point que je finis par le répéter, parfois.

À vrai dire, je ne sais pas si c'est vrai. Ce qui est sûr, c'est que *eux* m'inspirent ! M'intéressent, en tout cas. Cette attention que je leur porte, depuis toujours (enfin, aussi près de toujours que vous autres pouvez le concevoir), est sans doute ce qui a fini par les convaincre que j'avais une influence sur eux. C'est peut-être le cas, indirectement, je ne sais pas. D'où vient l'inspiration, après tout ? Probablement de l'interaction entre les êtres, principalement, en tout cas. Oui, je sais que certains artistes sont de grands solitaires (leur univers intérieur leur suffisant apparemment pour créer des merveilles) et que, par contre, on peut être d'une incroyable sociabilité, entouré de relations et d'amis, et ne jamais produire quoi que ce soit pouvant se rapporter à l'art. Néanmoins, je crois que cela a un rapport. Mais après tout, qu'en sais-je ? Même moi, qui observe les artistes, les musiciens, plus particulièrement, depuis des milliers et des milliers d'années, je ne sais pas exactement *ce qu'est* l'art. Pourquoi chercher à le savoir, du reste, à le *définir* ? Voilà une chose très humaine, très mortelle.

Trouver une explication à l'art ne m'intéresse pas. (Y en a-t-il une, seulement ?) Ce qui m'intéresse, me fascine, c'est qu'il s'agit de la seule manière que vous ayez de trouver l'immortalité. Celle des corps vous échappe, contrairement à nous, celle des âmes, je n'en sais rien et n'ai pas d'avis sur la question. Mais celle de l'*esprit*… Celle-là, l'art vous permet d'y accéder. Vous me direz peut-être que si l'on se souvient des grands artistes, on se souvient aussi des conquérants. C'est vrai. Mais ceux-ci détruisent, alors que les artistes *construisent, créent.* Les philosophes et les grands spirituels aussi, bien sûr, mais il ne s'agit pas de l'immortalité *physique* d'un monument, d'un tableau, d'une sculpture… D'un morceau de musique, que l'on peut jouer sur un instrument, fredonner de ses lèvres, de sa bouche, des siècles après que son auteur a quitté ce monde.

Immortalité mesurée, oui. Quelques siècles, tout au plus ; pour la musique, en tout cas, qui me fascine particulièrement, je ne saurais dire pourquoi. Peut-être, étrangement, parce que l'immortalité qu'elle confère est si paradoxalement évanescente, les autres arts laissant de bien plus durables traces. Qui se souvient, à part moi, de morceaux composés il y a plus d'un millénaire ? Mais immortalité. La seule que vous puissiez toucher du doigt ; la seule du monde. En tout cas, depuis que vous nous avez chassés (mais c'était *aussi* notre faute).

Car je me souviens de cela, vous savez. Mes souvenirs remontent aussi loin que ça, et même plus, que vous le croyiez ou non.

✦

Je la critique, je brocarde son accent, sa timidité, son apparence... Mais elle avait du talent, cette Georgina. Et puis c'était une des rares musiciennes de cette époque peu propice aux femmes indépendantes. Je devrais, je le sais, être plus indulgente envers elle...

Je me souviens du jour où elle est arrivée à Versurleau. Elle avait atteint à une petite notoriété dans son Amorique natale – une contrée encore très provinciale, à l'époque, même si l'avenir était à elle – et était venue tenter sa chance dans ce temple des musiciens qu'avait érigé Antoine Bauvoux autour de ma personne. Naïve, complètement égarée dans ce pays dont elle ne parlait pas vraiment la langue. Et puis les artistes ne venaient en principe ici que sur invitation. Elle avait juste débarqué du paquebot, puis du train, et avait sonné un beau matin à la porte de la Maison, en demandant à voir le patron. Aurait-elle été plus sûre d'elle, cette bonne pâte d'Antoine aurait plié et lui aurait trouvé une place. Mais elle était si timide que même lui n'en fit qu'une bouchée. Il avait de la peine devant cette jeune femme à deux doigts de fondre en larmes, mais il allait la congédier. Quand Marin déboula.

Il était en train de répéter une de ses premières pièces pour garder la main, rien d'important, donc. Mais ce n'était pas ainsi qu'il raisonnait ; cette discussion l'avait dérangé dans son travail ! Il était fou de rage...

« Qu'est-ce que c'est que tout ce bruit, enfin ? »

Évidemment, cet éclat de voix fut la goutte d'eau qui fit déborder le vase des pleurs : cette dinde de Georgina fondit en larmes. Marin se trouva désemparé. Il l'était toujours quand l'une de ses sautes d'humeur blessait les gens. Il pouvait, je vous en ai cité un exemple, être délibérément insultant, mais ses célèbres colères n'avaient pas ce but, et quand cela arrivait, il se trouvait tout bête. Il allait s'excuser auprès de cette pâle jeune femme... Et il la regarda, la *vit* pour de bon.

Cela se passait devant moi, devant mon vestiaire. Je n'avais rien manqué de la discussion entre Bauvoux et l'Amoriquaine. Je n'étais pas intervenue. C'était les affaires du patron. Et puis elle ne me revenait pas plus que cela, cette jeune fille exagérément timide (vous auriez dû voir la rougeur s'emparer de ses joues blanches lorsqu'elle m'avait vue pour la première fois, la manière dont ses yeux se baissaient instinctivement par peur de croiser le regard de *la muse*, pour laquelle elle avait pourtant franchi un océan!). Il y a aussi que j'avais reconnu le manche de sa guitare par-dessus son épaule et, je suis désolée, je n'ai que peu d'estime pour cet instrument. Une version abâtardie du bon vieux luth, sans la noblesse gaie de la mandoline ni la fausse simplicité rustique de la balalaïka.

Je vis donc Marin regarder Georgina pour la première fois... Et je sus qu'elle était là pour rester. C'est presque aussi fascinant que l'inspiration, l'amour. J'ai vu ça assez souvent, ce que vous appelez *le coup de foudre*. La manière qu'ont les pupilles de se dilater, la respiration de s'accélérer, la bouche de s'entrouvrir, devant une certaine personne parmi d'autres. C'est différent, pourtant, du simple désir. Il y a aussi cet air égaré qui se peint sur le visage, comme si un météore venait de vous tomber dessus d'on ne sait où. C'est un moment magique que j'apprécie beaucoup. Sauf cette fois-là, je dois l'avouer...

« Eh bien, eh bien... Ce n'est pas la peine de se mettre dans des états pareils... Que...? Qui...? »

Ce bon Antoine prit la peine de répondre à ces questions mal finies, présentant Georgina et sa démarche, et Marin d'enchaîner, plus assuré (si on parlait de musique, il était dans son élément):

« Ah! Il n'y a qu'à la faire jouer, on verra bien! Venez, Mademoiselle, allons dans la grande salle. »

Elle sécha ses larmes, lui jeta un regard écœurant à force de reconnaissance éperdue et le suivit.

Elle ne joua rien de renversant ce jour-là; il s'agissait de ses premières œuvres, composées par une quasi-autodidacte. Des accords simples, des arpèges peu maîtrisés... Mais c'était indéniable: quelque chose se dégageait de cette musique encore assez brute, comme une statue à moitié sortie de sa gangue de pierre annonce déjà la magnifique sculpture à venir. Et puis, si ce n'étaient que de petits airs, ils restaient dans la tête, et on devait se défendre de les fredonner sans y penser. Rien d'inoubliable, mais plein de promesses.

Soyons honnête, quand même. Aurait-elle été incapable de différencier le *ré* du *la* que Marin se serait débrouillé pour la faire rester malgré tout. Il la prit sous son aile, dès ce premier jour, et jusqu'à son dernier. Suis-je de mauvaise foi en prétendant que c'est lui qui lui fit exprimer le meilleur d'elle-même, qui fit de cette petite gratteuse douée mais pas exceptionnelle une artiste en bonne et due forme ? Peut-être... Je ne saurais être très lucide quand j'évoque Marin.

Il était là, la couvant des yeux, lorsqu'elle joua pour la première fois son œuvre la plus célèbre, la seule que vous connaissiez peut-être encore : *Les Larmes du Missipy*. Malgré son titre, une pièce guillerette, entraînante, aux accords endiablés. Pas génial mais efficace ; amoriquain, en somme. Elle conclut sa représentation par une série d'arpèges assez osés qui lui valut, au moins autant que l'ensemble de la pièce, un bel applaudissement spontané (je me surpris à faire de même, depuis mon vestiaire). Elle salua le public, rouge comme une pivoine mais souriante, radieuse comme je ne l'avais jamais vue, les yeux ne quittant pas ceux de Marin. Ils étaient mariés depuis un an. Je n'arrivais pas à m'y habituer.

◆

Je me souviens de la Guerre. Oh ! Pas celle que vous appelez « la Grande Guerre », sans savoir ce que vous dites. La Guerre. Celle qui changea le monde. Vous n'en avez plus souvenir que dans vos légendes les plus anciennes, hélas les plus déformées, aussi.

L'orgueil, la fierté mal placée. On a souvent dit, même à l'époque où votre courte mémoire se rappelait encore fidèlement les événements, que c'était l'avarice qui avait été la cause de tout. Nous aurions été incapables de céder un pouce de terrain à ces singes évolués que vous êtes ; nous n'aurions pas voulu nous départir de nos terres, nous dont le nombre n'augmentait que si peu, siècle après siècle, pour laisser plus de place à ces mortels qui se reproduisaient à une cadence si frénétique et étaient déjà devenus si nombreux. Comme vous nous comprenez mal.

Nous n'avons jamais prétendu posséder la Terre, jamais cultivé le sol, jamais domestiqué les animaux. La Nature nous fournissait tout en abondance, nous ne lui demandions rien d'autre. Nous étions protégés de l'âge, des accidents, par nos « pouvoirs », notre « magie ». Des mots vides de sens, qui trahissent votre incapacité à appréhender les secrets les plus profonds de cette planète que vous en êtes venus à dominer sans jamais la comprendre en vérité. Je suis forcée de les utiliser, pourtant, ce sont les seuls qui aient un commencement de sens pour vous.

Partant de ceci, ceux d'entre vous qui ont un peu plus d'entendement (philosophes, prophètes, poètes) en ont conclu que nous avions voulu protéger la Nature de votre prédation. C'est peut-être une interprétation encore pire. La Nature se protège et se suffit à elle-même. Oui, vous êtes les prédateurs ultimes. Mais le jour où vous irez trop loin, où vous détruirez une chose de trop, chamboulerez le climat une fois pour toutes, Notre Mère saura vous renvoyer sans ambiguïté à votre insignifiance ; nous tous qui sommes restés sommes d'accord sur ce point.

Non : orgueil, fierté, telles sont les plaies qui nous ont perdues. Nous aurions pu vous laisser beaucoup plus de place ; c'était logique, vous étiez tellement plus nombreux ! Nous pouvions nous retirer dans quelques forêts, quelques montagnes, garder pour nous un certain nombre de lacs, de prairies. Mais il aurait fallu admettre que nous n'étions plus les premiers parmi les enfants de Notre Mère. Remettre en cause la place que nous nous flattions d'occuper dans l'ordre des choses. Cela, nous n'avons pas su le faire.

La Guerre a donc éclaté, une guerre comme le monde n'en avait jamais connu et n'en a plus connu depuis. Pas une guerre entre nations ou même entre « races ». Une guerre, totale, entre deux *espèces*.

Je me souviens de champs de bataille de la taille d'un petit pays. Je revois ces lignes interminables de ceux des nôtres que vous appelez « nains », brisant vague après vague de chevaliers mortels. Ces vols de dragons (vous vous imaginez sans doute qu'ils n'ont jamais existé, n'est-ce pas ? comme l'oubli vous rend sots), incinérant en un éclair des bataillons entiers. Et la guérilla incessante dans les bois et les prés. Des chants envoûtant un détachement de guerriers, les clouant sur place jusqu'à ce qu'ils meurent de faim, sourires béats aux lèvres ; une escouade de fiers chevaliers se jetant à l'eau à la suite d'une « naïade » qui les avait rendus si fous de désir qu'ils n'avaient plus pensé à leurs armures et étaient allés se noyer avec ravissement. Et les statues de sel en lesquelles certains étaient changés par le regard des basilics (encore une de nos bêtes de compagnie qui sont des mythes, pour vous), les carnages que nos épées au fil capable de trancher jusqu'à l'esprit même causaient parmi les vôtres. Nous avons gagné toutes nos batailles.

Nous avons perdu la Guerre. Vous étiez simplement trop nombreux. Nous avions beau vous tuer, vous enchanter, il y avait toujours plus des vôtres ; dix pour prendre la place de chaque soldat abattu, nous semblait-il. Alors que la mort d'un seul d'entre nous causait un vide irremplaçable. C'est à cette occasion que nous apprîmes combien notre immortalité est relative. Elle s'efface devant votre violence.

Le monde était détruit. Votre civilisation, qui avait, malgré notre mépris affiché, atteint un raffinement que vous mettriez des milliers d'années à retrouver, fut ramenée à un niveau incroyablement bas. Malgré votre résilience, votre nombre, nous avions tué trop des vôtres, et trop de cadres. Vos historiens, vos archéologues, ne croient pas ce que nous affirmons à ce sujet. Forts de leurs fausses certitudes, ils nous traitent au mieux de rêveurs, au pire de menteurs. Pour eux, il y a un progrès continu depuis l'âge des cavernes jusqu'à notre époque. S'il y avait eu un tel recul, jusqu'à vous ravaler à l'âge de pierre, ils l'auraient découvert. Cela ne fait que prouver la relativité de ce que vous appelez « la Science »… Tant de choses que vous croyez savoir et dont vous ignorez tout.

Et nous ? Nous étions décimés. Tant des nôtres étaient tombés que nous étions comme hébétés. Et nous ne pouvions plus rester. Trop de destructions, trop de morts… Trop de rancœur de la part des vainqueurs.

J'étais là lorsque nos deux reines ont conclu la paix. Oui, une reine unique pour tous les humains du Vieux Continent. Cela aussi, vous avez du mal à le croire. Vous avez une telle habitude d'être divisés en tribus, en factions, en nations… Mais même cela, c'est à cause de la Guerre.

Deux reines, réunies enfin, par le malheur, la mort, la destruction. Deux reines qui ne régnaient plus que sur des royaumes si diminués qu'ils en devenaient virtuels. Elles auraient pu être jumelles, la mortelle et l'immortelle. Belles, blondes, désespérées. Que l'âge marquât le visage de votre souveraine ne changeait rien à l'affaire, tant le deuil défigurait la nôtre. Je les ai vues se jeter dans les bras l'une de l'autre, pleurant amèrement, ensemble, sur ce que l'orgueil avait provoqué. Hélas, leur réconciliation personnelle, pour magnifique qu'elle ait été, poignante pour tous les témoins, venait trop tard.

Le monde était détruit…

✦

Ce fut une époque si heureuse, celle de la Maison Bauvoux. Toute cette musique, toute cette vie… Bien sûr, avant qu'Antoine ait cette idée, les artistes venaient me voir, nombreux : aèdes, bardes, ménestrels et troubadours, kapellmeisters… Mais individuellement, isolément. Grâce à Antoine, il y en avait toujours au moins une dizaine à la fois. Je ne sais pas si j'ai jamais assez remercié mon gros ours bonhomme d'Antoine.

Il y avait toujours quelqu'un dans la grande salle, à toute heure du jour et parfois de la nuit, répétant, jouant, chantant, accordant parfois juste son instrument comme ça, en attendant cette inspiration que je suis censée provoquer. Ils venaient me voir à mon vestiaire, devisaient avec moi, parlant de tout, de rien, et surtout de musique. Je suis, évidemment, une encyclopédie vivante de cet art. J'ai connu Horède, Gilles de Lalle ; Meizer lui-même est venu me voir ! (Pas Hochstätter, et c'est mon grand regret.) Alors, encore une fois, je ne sais pas si je les inspire vraiment, mais je peux les conseiller… Moi qui n'ai jamais tenu un instrument de musique de ma vie ! Paradoxal, non ? Mais c'est ainsi. Je me le suis toujours interdit. Par respect des artistes, par peur, peut-être, de ne pas être à la hauteur. Pensez-en ce que vous voudrez.

J'aimais bien Pavel Borissovitch Razoskivlov, son accent rude et chantant à la fois, son visage glabre de petit garçon. Son éclectisme, lui qui pouvait jouer aussi bien de la balalaïka que du piano, de la flûte traversière que de la trompette (même s'il composait surtout pour violons, bizarrement). Il se sentait si bien à Versurleau qu'il ne quittait presque jamais le bourg. Les premières de ses œuvres ont toutes eu lieu ici, à part bien sûr ses pièces pour orchestre : la Maison ne pouvait accueillir un philharmonique ! Ah ! Les envolées nostalgiques du Vent dans les Bouleaux, les passages poignants, parlant si merveilleusement des blessures intimes, du solo violon du Prince Ivan… Et la gaieté sans retenue et sautillante des Danses Bouratches ! Des critiques l'avaient descendu en flammes, à l'époque, sous prétexte qu'il préférait les hommes. Quel rapport avec son talent ? Deux, trois siècles d'immortalité pour Pavel.

Lilian Gudain était plus secret ; autant Pavel pouvait être des heures à discuter avec moi, accoudé à mon comptoir, ses beaux yeux bleus pleins d'étoiles et de rêves, autant la figure triste et grise de Lilian ne sera, la plupart du temps, que passée devant moi après un salut poli. Mais quelles joies il m'a offertes ! Le lyrisme tout en retenue de ses pièces pour orgue et chœur, qu'il faisait jouer à l'église du lieu (où je n'avais donc aucun mal à suivre) à laquelle Antoine avait payé un jeu complet de tuyaux flambant neufs ! Même avec des chanteurs amateurs, on aurait cru entendre chanter les anges, de quoi presque me faire croire en votre Dieu ! Trois siècles et demi, je dirais.

Rowan Linlighean est un autre animal. Que de bons souvenirs de cet Eiréen gai, naïf… et farceur. Je me souviens du jour où il avait remplacé la colophane de Grégoire Latiaux par de la confiture de fraise ! Grégoire n'avait pas fait attention et, avant d'avoir compris, l'archet de son violoncelle était enduit de confiture. Son instrument avait senti la fraise pendant des mois. Latiaux n'était pas le plus plaisant des hommes (ni le meilleur des musiciens…), il ne pardonna jamais à Rowan, mais quel éclat de rire ! Les tours que ce bon Rowan joua au pauvre Antoine ! De nombreux critiques ont ravalé ses mélodies enjouées à de la « musique folklorique », sous prétexte qu'il s'inspirait des airs traditionnels de sa malheureuse île. Je n'ai jamais compris ce besoin de catégorisation que vous avez, je le répète. La musique est la musique. La cornemuse et ses déclinaisons sont des instruments comme les autres. Mais il y a une justice : ces critiques sont oubliées depuis longtemps. On fredonne encore les mélodies au rythme endiablé de Rowan. Deux siècles, au moins.

Tous ces musiciens n'étaient pas des génies, loin de là. Il faut sasser beaucoup de scories avant de tomber sur quelques paillettes d'or. Qui se souvient de Renaud Deschamps, d'Arnaud Charpentier, de Willem Houter ? Seulement moi. Leur musique n'était pas mauvaise ; juste pas à l'épreuve du temps. Et Jean-Didier Bernard, alors ? Chouchou des critiques de l'époque, le plus encensé des pensionnaires de la Maison Bauvoux. Même son concerto pour orgue est oublié maintenant. L'immortalité ne se décrète pas *a priori*…

Finalement, *Les Larmes du Missipy* de cette fade Georgina ne sont pas si mal loties. Cent cinquante ans, ce n'est pas si mal…

Théophraste Terrier est un cas à part. Un individu désagréable s'il en fut, qui n'adressa même jamais la parole à celle que, je le sais, il appelait dans son dos « la Plante »… Charmant, non ? Celui-ci n'était pas venu pour la muse mais pour l'argent et les contacts d'Antoine… Ce n'était pas ce pédant arrogant qui leur aurait chanté une petite chanson insultante juste comme ça. Mais quel talent… Malgré toute son incorrection, je n'ai jamais regretté sa venue. Et maintenant qu'en subissant les crissements et siffle-ments de cette invention discutable mais meilleure que rien qu'est le phonographe j'ai pu apprécier ses œuvres orchestrales, je le goûte encore plus. La noblesse solennelle de ses *Signes du Zodiaque* ! Le subtil dialogue des cuivres et des bois d'une pièce comme *L'Arche du Salut*, avec cette inoubliable conclusion où tous les instruments se rejoignent en un savant mélange de discordances créant *in extremis*, comme par magie, une improbable harmonie… Quatre cents ans, si ce n'est plus.

Mais aucun n'avait le génie de Marin. L'intégralité de ses pièces pour piano, le cœur de son œuvre, fait encore partie du répertoire de tout pianiste qui se respecte. Moi dont cet instrument n'était alors pas la tasse de thé (je préférais la harpe, depuis toujours), il m'a fait changer du tout au tout. Si l'on ne maîtrise pas la virtuosité enivrante de la *Sonate pour les Oiseaux*, où les touches semblent se muer en gosiers de rossignol, de pinson, de merle, est-on digne d'être pianiste ? Je ne parle même pas de sa *Sonate en si bémol*, réputée la plus difficile de toutes les pièces pour cet instrument, alors que la mélodie en est d'une apparente et exaltante simplicité.

Je n'ai entendu ses pièces pour orchestre qu'après sa mort, hélas ! je ne pouvais bien sûr pas me déplacer jusqu'aux salles de concert de Lutesse (ou de Lundun, de Bernig, de St-Karslburg, voire du Nouveau Monde ; Marin fut joué dans tous ces endroits, et l'est encore). Mais je lisais les partitions, et puis je me faisais dé-crire les concerts… L'harmonie pathétique mais paradoxalement pleine d'espoir d'une œuvre comme les *Funérailles de la Prin-cesse Inès*, qui donne à la fois envie de chanter et de pleurer. La magistrale évocation de l'enfance de la *Forêt des Merveilles*, avec sa naïveté et ses tourments. Et la maîtrise orchestrale à ce jour inégalée de sa *Marche Andalane*.

On se souviendra de Marin pendant des siècles et des siècles. Je pense qu'il durera ce fatidique millier d'années, au bout duquel vous oubliez même la plus émérite de vos pièces musi-cales. Je rêve que l'on se souvienne de lui toujours. Non seulement de sa musique, mais aussi de sa paradoxale fragilité, cachée par cet exécrable caractère ; de sa timidité devant les êtres qu'il aimait ; de son exigence terrible dissimulant une âme d'enfant…

Moi, je me souviendrai de lui toujours.

✦

Ils sont partis, les miens, à jamais. Vous avez été déçus, lorsqu'il y a quatre siècles vous avez découvert l'Amorique, de ne pas les y retrouver. Vos légendes disaient qu'ils étaient partis vers l'ouest… Mais c'était là une image poétique, évocation de l'ailleurs infini à une époque où l'on ne franchissait pas les océans. Ils ne sont pas partis vers l'ouest, ni vers l'est, le nord ou le sud; ils ne se sont pas réfugiés dans les profondeurs de Notre Mère, ni dans les espaces intersidéraux. Ils sont partis *ailleurs*. Cela non plus, vous ne parvenez pas vraiment à le comprendre.

Pourquoi suis-je restée, pourquoi nous qui l'avons fait avons-nous choisi de demeurer parmi ces hommes qui, dorénavant, nous haïssaient?

Je ne peux pas parler pour les autres. Je crois qu'ils étaient animés par quelque chose proche de ce qui me meut : une certaine fascination pour nos vainqueurs, qui avait résisté même à la Guerre; pour cette étrange espèce, si violente et brutale, si destructrice, et pourtant si capable de grandeur, jusqu'à atteindre une forme d'absolu. Moi, c'était donc l'art, la musique.

Oh! Le Peuple jouait de la musique. Nous avons *inventé* des choses telles que la flûte, la harpe, la lyre… Mais les sons que nous en tirions ne faisaient qu'imiter la nature, les chants d'oiseaux, le ruissellement de l'eau vive, le doux souffle des zéphyrs. Vous… Vous êtes capables d'inventer d'autres sons, d'autres harmonies, inconnues jusque-là. Vous êtes capables d'authentique inspiration. C'est pour cela que je suis restée.

Les débuts furent difficiles. Souvent, je dus me cacher pour échapper à un clan de guerriers qui voulaient me brûler vive et répandre mes cendres dans le plus proche ruisseau. Dorénavant, beaucoup d'entre vous nous considéraient comme des démons. Certains des nôtres regrettèrent leur choix d'être restés – ou plutôt *n'eurent guère le temps* de le regretter ! Mais c'était ainsi. Je me dissimulais dans la forêt (même avant que je devienne comme je le suis maintenant, j'ai toujours eu une affinité avec les bois), et j'attendais que cela se calme. Quelques générations (qu'est-ce pour un être comme moi ?). Puis je recommençai à approcher les musiciens, à me repaître de leur art, à profiter de leur inventivité qui était, qui est toujours pour moi, comme une eau vive.

Nous n'étions plus si nombreux que l'on puisse nous confondre ; mon intérêt ne passa pas inaperçu. Très vite (pour moi…), la « fée » qui courait les musiciens devint célèbre. On finit par m'appeler muse.

C'est alors que je décidai de me fixer sur le site (le *locus*…) de ce qui serait bien plus tard Versurleau. Pourquoi ? La lassitude d'être tout le temps en mouvement, probablement (je venais de passer plusieurs siècles d'errance), mon affinité naturelle avec la forêt qui me rattrapait… Oh ! Et puis, qu'en sais-je, après tout ? Pouvez-vous expliquer toutes vos décisions, tout ce que votre cœur intime vous dicte de faire ? Peut-être le croyez-vous… Même les plus sages d'entre vous n'ont aucune véritable expérience de la vie, comparés à nous…

Quoi qu'il en soit, le lieu était reposant. Pas l'ombre d'une habitation à l'époque, bien qu'il y ait déjà eu des villages de huttes à portée, et cette rivière que l'on n'appelait pas encore la Voise qui chantait tout doucement et enchantait toute la clairière. Un bel endroit, je n'ai jamais rien regretté. Le moment était bien choisi, également. On me connaissait suffisamment, désormais. C'étaient les bardes et aèdes qui venaient à moi et plus l'inverse.

Je l'ai déjà dit, mais Horède lui-même fit le voyage, extraordinaire à l'époque, depuis son Achée natale pour me parler. Lui dont les vers (hélas pas la musique) sont encore vivants, trois mille ans après sa mort. Je ne sais pas si j'inspire les musiciens en général, je l'ai dit, mais lui en particulier, je peux dire que oui. La dryade Calissaa, qui retient le héros sept ans dans sa clairière, ne me doit-elle pas quelque chose ?

Et un jour (hier, à mon échelle, et même pour vous, il n'y a pas si longtemps), ce cher Antoine vint me voir au cœur de cette bourgade assoupie dont j'étais le seul centre d'intérêt, pour me proposer son idée. C'était la plus belle initiative qu'un mortel pût avoir !

La Maison Bauvoux poussa donc autour de moi. Je n'acceptai que ce rôle modeste de tenancière du vestiaire. Oui, les artistes viendraient surtout (en principe) pour moi, mais je ne suis pas des leurs, après tout ; je ne fais que profiter d'eux, et le temps m'a appris l'humilité. J'espère, en tout cas… Ce fut la plus faste période de ma *looongue* vie. Ce fut l'époque qui me permit de rencontrer Marin Ravier…

◆

C'était à cela que je rêvassais, accoudée à mon comptoir : à notre première rencontre. Vingt-cinq ans, déjà célèbre... Et déjà timide, bien sûr. Antoine l'avait reçu avec effusion en le prenant dans ses bras d'ours (et causant une gêne dont le pauvre ne se rendait pas compte). Et ses yeux bleus, presque cachés tant ses verres de lunette étaient épais, croisèrent mes mirettes vertes. J'ai *su*, alors. Avant même de l'entendre jouer, me semble-t-il. Bien sûr, Antoine l'a ensuite emmené jouer dans la grande salle (sur ce fameux piano-forte qu'il n'osa pas encore critiquer, ce premier jour). Je découvris sa virtuosité, son inventivité, sa naïveté quasi enfantine qui, alliée à l'incroyable sûreté de sa technique, en faisait le plus grand musicien de son temps. De tous les temps ? Je ne saurais dire. Être objective par rapport à Marin a toujours été au-dessus de mes forces. Bref, je tombai absolument sous le charme...

Je rêvassais, donc, lorsqu'il entra. L'éclat bleu de ses beaux yeux s'était terni. L'âge (il avait plus de cinquante ans) et surtout le deuil. Je n'avais jamais apprécié Georgina, mais je ne souhaite à personne les derniers mois qu'elle a endurés. Tumeur au cerveau... Marin avait toujours paru sec à ceux qui ne s'efforçaient pas de le connaître, mais à présent la tristesse le rendait doux... Une douceur qui me donnait envie de pleurer, moi qui depuis si longtemps ne pleure plus que toutes les quelques décennies. Ses cheveux étaient enfin gris, et il portait sa fichue écharpe blanche que l'on voit sur toutes les images des dernières années de sa vie, qu'il ne quittait pas même au cœur de l'été, et qui m'exaspérait. Il a toujours su m'exaspérer, mon Marin.

« Bonjour, Eutéra.

— Bonjour, Marin. Tu es presque en retard. »

Il leva sur moi des yeux arrondis par la surprise. Il n'y avait pas de concert prévu aujourd'hui. En fait, il n'en donnait presque plus depuis le décès de sa femme. Puis il comprit la référence et sourit, tristement, comme il faisait tout, sur la fin.

« Que nous vaut cette réminiscence ? »

Je haussai les épaules.

« Je ne sais pas. J'étais plongée dans mes souvenirs. Cela arrive fréquemment, quand on a mon âge...

— Ah ! Oui... Tu fais tellement partie de ma vie (s'il avait su ce que ce genre de phrase causait en moi !) que je ne me pose même plus la question, mais tu es... » Je *vis* son esprit passer en revue les mots « vieille », « ancienne », « antique », et finalement s'arrêter sur : « Tu es là depuis si longtemps... Pourquoi, du reste, pourquoi ici ? »

Je lui répondis du mieux que je pouvais. Il secoua la tête.

« Je ne comprends pas.

— Les vôtres n'ont jamais compris les nôtres. Ce qui est normal, car nous nous comprenons peu nous-mêmes, et vous-mêmes ne vous comprenez pas du tout ! »

Il sourit.

« C'est peut-être vrai... Tu sais, je... Je n'ai jamais vu ton... Je ne t'ai jamais vue sans... »

Avec un sourire ironique, je le laissai s'enfoncer un moment (j'adorais cela, il était si touchant !), puis :

« Tu n'as jamais regardé sous mes jupes, dis-le clairement ! »

Mélange de soulagement et de honte.

« Eh bien, oui. Ce n'est pas le genre de choses que l'on demande comme ça à une femme... »

Même avec Georgina, il avait eu du mal (mais je me gardai bien de lui dire cela).

« Je ne suis pas réellement une femme, tu le sais bien.

— Oui, mais... Bon...

— Regarde », l'interrompis-je par pitié.

Je soulevai le pan de ma jupe violette, ma préférée d'entre la poignée que je possédais (pourquoi aurais-je eu besoin de plus, à ne jamais bouger d'ici ?). Il se pencha par-dessus le comptoir (en rougissant, le délicieux imbécile), et vit enfin ce qui n'était un secret pour personne, mais qu'effectivement je dévoilais peu. Pour complaire à votre sens de la pudeur, si joliment personnifié par Marin, et pour ne pas vous effaroucher. Vous avez beau le savoir, *voir* que la personne avec qui vous discutez est une espèce de femme-arbre vous déroute, je ne sais pas pourquoi.

En dessous de la ceinture ma peau devenait ligneuse, de l'écorce. Je n'avais ni jambe ni pieds mais un tronc et des racines.

« Mon être, en pénétrant tout le sous-sol de Versurleau, me met en relation avec tout le bourg et ses alentours. Je sais tout ce qui s'y passe, pour peu que je m'y intéresse. C'est comme si j'étais partout ; en fait, *je suis* partout ! »

Il rougit encore plus.

« Tu... Tu veux dire que tu es au courant de *tout* ? »

Faisait-il allusion à quelque pauvre secret d'alcôve que j'aurais surpris entre lui et Georgina ? Mon Marin... Croyait-il avoir inventé quelque chose ? S'il avait su ce que Pavel Borissovitch faisait, à l'époque, avec le fils Meunier…

« *Pour peu que je m'y intéresse*, ai-je dit ! Je parle de musique, bougre d'âne ! C'est ainsi, par mes racines qui me sont un sens supplémentaire, en quelque sorte (c'était beaucoup plus compliqué, mais expliquer cela à un mortel, même lui…), que je n'ai jamais raté un concert ou une répétition, voire un simple exercice, sur le territoire de cette commune. Toute sa musique est mienne…

— Musique, bien sûr, je suis bête ! fit-il, soulagé. Tu ne t'intéresses qu'à ça. De toute façon, avec ce… Ceci à la place de… Un tronc et pas… des jambes, disons, tu ne peux pas aimer, si ? Bien sûr que non ! Ce serait affreux… »

Il s'interrompit. Ses yeux myopes se firent plus perçants en se posant sur les miens. Son sourire s'évanouit.

« Tu… Tu *peux* aimer ? » Puis, comme je ne répondais pas : « Tu *aimes* ? »

Que dire à cela ? De toute façon, ma gorge était trop serrée. Je me contentais de lui sourire. Ce dut être une petite chose bien triste, car une désolation qui me fit encore plus mal se peignit sur son visage.

« Oh, Eutéra… Je n'avais pas réalisé. Je n'ai jamais su… »

Et qu'aurait-il pu y faire, hein, mon Marin, mon musicien pour l'éternité ? La muse de Versurleau n'aime que la musique, bien sûr. Elle ne peut pas aimer les musiciens. Elle ne peut pas…

Gaël-Pierre COVELL

Gaël-Pierre Covell a 40 ans, il vit dans la Drôme, dans le sud-est de la France, avec son épouse et son gamin d'un an et demi (Cratapon ; mais on l'appelle Martin). Il a été aide-soignant-vétérinaire, travailleur à la chaîne, libraire, guide touristique dans le plus haut donjon de France, et opère en ce moment comme vendeur dans une jardinerie. Ayant découvert *Le Seigneur des Anneaux* à 14 ans, il a décidé que c'est ce genre de littérature qu'il avait envie de lire et, à terme, d'écrire – même si les histoires qu'il raconte n'ont parfois plus beaucoup de rapport avec la Terre du Milieu… Sinon, il est féru d'Histoire, anglophile, aime la philosophie et les randonnées en montagne. Après quelques années de stase, il revient activement à l'écriture avec ce texte, son sixième publié professionnellement, son deuxième dans **Solaris**.

Emma

Dave CÔTÉ

Laurine Spehner

L e bouton, sur le mur près du sas d'entrée, est très froid sous
ma paume. Le chauffage mettra des heures à réchauffer
l'Habitat. Normal, l'humidité s'est accumulée depuis la
dernière fois que je suis venu. Ça date de… huit ans ? Déjà ?

— Bonjour, Dave.

— Bonjour.

Le nom a failli franchir mes lèvres. Emma.

Je ne dois pas. Ce serait un premier pas dans une très mauvaise
direction. Je m'étais promis de ne pas le faire. Je ne suis pas là
pour ça.

Je trouve la télécommande du sous-marin dans la poche de
ma veste. Le bouton « stationner » clignote de sa lumière verte.
Ça m'évoque un valet anxieux qui me demande s'il doit aller
garer mon véhicule, à répétition, au rythme du clignotement.
J'appuie. Le module d'arrimage n'est plus tout à fait étanche. De

l'eau s'infiltre et je risque de trouver le voyage de retour plutôt mouillé si je laisse le sous-marin attaché à l'Habitat. Il sera mieux dans le garage, si toutefois la porte automatisée consent à s'ouvrir. Je pose la télécommande sur le petit meuble gris, à l'entrée. Je ne vois pas le meuble, il fait beaucoup trop noir, mais je sais où il se trouve. C'est comme si je n'étais jamais parti. Je l'ai déjà fait des centaines de fois. Il me semble encore entendre Marie-Amélie protester qu'il était trop facile de la perdre en la laissant tout simplement là, sur le meuble.

Non, Dave. Ne va pas là.

Il me faut étirer le bras pour atteindre l'interrupteur sans poser mes bottes mouillées sur le plancher de l'Habitat. Ce tapis d'entrée a toujours été trop court. Il n'aurait fallu qu'une dizaine de centimètres de plus pour éviter les acrobaties quotidiennes. Je dois me tenir sur un pied, le bras étiré au maximum, pour allumer. Peut-être pourrais-je trouver un tapis plus long éventuellement. Mais ce n'est plus mon problème. On arrachera sans doute celui-là, puisque les seules personnes à entrer ici et à en sortir seront des employés qui se ficheront pas mal de la propreté des lieux. Ils passeront le balai le soir venu, puis fermeront boutique. Ils n'auront pas à se promener nu-pieds la nuit sur un plancher recouvert de boue séchée et de grains de sable. Leur employeur leur organisera sans doute un système de navette, ils seront rentrés chez eux avant la nuit tombée, chaque jour.

C'est étrange, mais je trouve cela un peu dommage. Cet Habitat est conçu pour fournir un maximum de confort. N'en profiter que pour travailler, c'est du gâchis. D'un autre côté, je n'aimerais pas vraiment que des inconnus passent leur vie avec Emma.

Mais qu'est-ce que je raconte là? On effacera la programmation d'Emma, comme on enlèvera tout le mobilier qui est dans l'Habitat pour le moment. On reformatera tout.

C'est normal.

La lumière du plafond clignote un peu avant de s'allumer, pâlotte. Elle mettra elle aussi un temps à se tirer de sa léthargie. Mais c'est bien, comme ça. Pas trop de lumière.

— Conserve ce degré d'éclairage, je te prie.

— Avec plaisir.

Combien de fois suis-je rentré ainsi, épuisé mais heureux à l'idée de retrouver Marie-Amélie? J'ai l'impression que c'est arrivé si souvent, alors qu'au fond nous avons vécu ensemble ici pendant moins d'un an. Je ne l'avais pas compris à ce moment, mais j'étais persuadé que ça durerait. Peut-être pas toujours, mais plus longtemps que ça en tout cas.

Mais non. Marie-Amélie a disparu, l'Habitat est devenu vraiment bizarre, et puis...

Je suis parti.

— Aimes-tu toujours les pâtes ?

Quelque chose se tord, là, quelque part à l'intérieur. Oui ! Oui, bien sûr que j'adore toujours les pâtes.

Rien ne sort, alors je hoche la tête.

Elle aussi, elle me fait l'effet de ne jamais être sortie de ma vie. Je reviens après huit ans, et elle me demande bêtement si j'aime toujours les pâtes. Ma gorge se serre tout à coup. Elle ne m'a pas juste demandé si je voulais manger quelque chose ou si je voulais des pâtes. Non, elle m'a demandé si je les aimais *encore*. Elle sait que beaucoup de temps a passé. Et elle est restée ici.

Toute seule.

Elle a raison de me poser la question. J'aurais pu développer une aversion pour les pâtes. J'aurai pu vivre un traumatisme quelconque, là-bas, en haut, et ne plus apprécier cet aliment. Les gens changent. C'est comme ça.

Elle n'a pas dormi, elle ne s'est pas refait une vie, elle. Non, elle est restée au fond de l'océan, dans le noir. Alors que moi, je me débattais pour tout oublier, pour ne plus penser à ce fichu Habitat. Elle, avec rien de mieux à faire que de réfléchir, n'a jamais pu quitter quoi que ce soit. Elle est restée ici avec ses souvenirs, avec probablement des centaines d'heures d'archives vidéo qu'elle pouvait se repasser en boucle. Qui sait, peut-être que ces vidéos faisaient partie intégrante de sa mémoire et qu'elle les voyait tous, en même temps, en permanence.

Qu'est-ce que je raconte là, nom de Dieu... Je ne suis pas venu pour ça. Je suis venu pour prendre mes affaires. Pour inspecter l'état des lieux. Pour vendre.

Un bruit trop familier résonne devant, dans la salle à manger. Malgré le temps passé, l'effet reste le même. Un vrai chien de Pavlov.

Le repas est servi.

Je ne devrais pas y aller, je sais. Je devrais me tenir loin de tout ce qui me rappelle mon ancienne vie. Juste vérifier qu'aucun effet personnel de valeur n'est resté ici. Après tout, je suis parti si vite, j'ai forcément oublié quelques bricoles.

L'odeur du repas parvient à mes narines. J'enlève mes bottes et marche sur le plancher glacé de l'Habitat. J'ai faim, après tout. Descendre au fond de l'océan avec ce vieux sous-marin a pris un temps fou. Le pressuriseur n'est plus jeune et a exigé plusieurs pauses durant le trajet.

Il n'y a pas de mal à manger un peu. Maintenant que la nourriture est préparée, elle ne pourra plus être conservée très longtemps. Ce serait du gaspillage. Marie-Amélie détestait le gaspillage.

◆

J'ai empilé mes affaires, là, près de l'entrée. À travers le minuscule hublot renforcé, le sas est fermé. Le sous-marin n'est plus de l'autre côté, il est allé se ranger tout seul, bien sagement, dans le garage. Son moteur tourne toujours, au ralenti. Il consomme très peu, aucun risque de panne, et je ne resterai pas longtemps de toute façon. Une lumière rouge luisant faiblement près du sas m'avertit qu'aucun véhicule n'est amarré de l'autre côté. Est-ce que la porte du garage a fonctionné? Ou le sous-marin s'est-il simplement écrasé contre la plaque de métal? Je me demande si le vieux submersible résisterait à un choc pareil. J'imagine que oui. Je lui ai déjà fait subir bien pire. Cette fois où j'explorais les rebords de la faille et qu'une partie de la paroi s'est détachée, juste au-dessus de moi, par exemple. Le radar a sonné l'alerte, mais il était bien trop tard pour que je puisse éviter la collision. J'ai fait basculer le sous-marin sur le côté pour offrir une moins grande surface au rocher, mais il m'a tout de même frappé. Je me souviens du bruit comme si c'était hier. Un grincement atroce, comme un cri de douleur, suivi d'un bruit sourd, infiniment plus inquiétant. Les entrailles du sous-marin qui gémissaient. Mais il a tenu bon. Ce n'est pas une collision à vitesse réduite contre une porte de garage qui va l'achever maintenant. Et de toute façon, la porte a certainement fonctionné correctement. Je me fais des idées.

Mais même si je sais que le sous-marin a quitté le sas, je sens sa présence. Il n'est pas juste à côté, mais il n'est pas très loin non plus. Il est là, dans l'eau, à me demander: finalement, je t'attends ou pas?

Je vais y retourner, bien sûr. Je vais remonter. Il n'y a rien pour moi ici. Je dois quitter les lieux. Je suis déjà chanceux d'avoir trouvé un acheteur assez fou pour récupérer l'Habitat. Il va le recycler en poste de ravitaillement, je crois bien. Ce sera beaucoup mieux ainsi. Emma pourra enfin se reposer.

M'asseoir un peu me fera du bien. Je tire une chaise sur le plancher impeccable de l'Habitat, devant le comptoir sur lequel j'avais l'habitude de manger en vitesse entre deux explorations. Tiens, j'avais oublié le marqueur noir dans la poche de mon pantalon. Je n'en ai même pas eu besoin. J'étais certain d'avoir laissé beaucoup plus de choses derrière moi. Je me suis dit : fais ça bien. Organisé. Avec des boîtes identifiées, pas trop lourdes, catégorisées. Au final, il ne reste qu'un tas de vêtements, une vieille nappe cirée, quelques livres et des instruments que je pourrais peut-être revendre. Marie-Amélie disait toujours qu'il fallait bien traiter ses instruments. Qu'ils nous remerciaient à leur façon. Dans le cas de ces vestiges, cinq mille dollars conviendront en guise de remerciements. Ce n'est pas une somme très importante, quand je pense que je vendrai l'Habitat pour quelques millions. Mais il n'y a pas de petit gain dans une situation telle que la mienne.

On n'a pas cessé de me dire que j'étais fou de laisser dormir une pareille fortune au fond de l'océan. Mais moi, je ne voulais pas redescendre. Même pas pour quatre millions sept cent mille dollars. On me disait que je pouvais en obtenir plus, mais personne ne sait à quel point je suis endetté. Nous n'avons pas terminé notre contrat et la dette est restée là, accumulant des intérêts que je n'arrive plus à payer. Il me restera quelques millions, je devrais être heureux d'avoir pris la décision de vendre avant que les dettes avalent tout.

Je n'ai plus le choix. Aussi simple que ça.

Tiens, la télécommande sur le meuble à l'entrée. J'avais oublié que je l'avais mise là. Il ne faudrait pas l'égarer tout de même. Ce serait bête de perdre du temps à la chercher le moment venu. Quand je me serai décidé à partir, je n'aurai pas envie de perdre une seconde de plus ici. Je me lève, retourne à l'entrée et empoche la télécommande ; comme ça, aucun risque de l'oublier.

◆

Je n'aurais jamais dû entrer ici. C'était une erreur. Mais c'est si bon de se retrouver. Là, couché sur notre lit, je voyage dans le temps. J'ai l'impression que demain tu sonneras l'heure du réveil et je devrai m'habiller puis franchir le sas, non pas pour remonter, mais bien pour m'enfoncer encore plus loin sous l'eau. Dans la faille. Ce que nous avons pu apprendre en seulement un an.

Oh, Emma... Tu te souviens de chaque détail, n'est-ce pas ? Mes couleurs préférées, la musique qui accompagne le mieux mon humeur, et je sais, je *sens* que tu brûles d'envie de me poser des questions. Des tas de questions. Pourquoi être parti ? De quoi avais-je peur ? Qu'ai-je fait durant ces années passées seul ?

Mais tu ne dis rien. Tu projettes mes couleurs préférées sur le plafond, tu fais jouer un vieux disque de *Bat for Lashes,* tu me cuisines des pâtes... Et tu ne dis rien. Tu te contentes de rester avec moi. Tu savoures le moment. As-tu peur que je reparte déjà ?

J'aimerais te rassurer, mais moi non plus je n'ai pas le cœur à prendre la parole. Je dois repartir.

Et toi... Tu dois te reposer. T'endormir pour de bon. J'ai été cruel de te laisser ici. Toute seule pendant tout ce temps. J'ai été idiot. Égoïste.

Je trouve la télécommande dans ma poche, vérifie l'état du moteur. Le voyant orange luit toujours. Le moteur tourne. J'ai l'impression qu'il me presse de repartir, qu'il se plaint de la fatigue, du froid et du noir. Lui aussi, pauvre vieux sous-marin, il a souffert de sa solitude. Il a vieilli. Il n'y a qu'Emma qui soit restée fidèle à elle-même dans cette histoire.

Je vais le faire. Je vais me lever pour passer le sas et ne plus jamais revenir ici. Maintenant que j'ai pris toutes mes affaires, je n'ai pas de raison de rester plus longtemps. Je me fais du mal, voilà tout. Je vais me lever, quitter Emma... Non, *l'Habitat*, quitter l'Habitat et je vais empocher mes millions de dollars. C'est ce que tout le monde ferait. C'est ce que tout le monde aurait fait il y a longtemps.

Je vais partir. Dès que les motifs apaisants projetés au plafond se seront gravés pour de bon dans ma mémoire, dès que je serai certain de ne plus pouvoir les oublier...

Je vais me lever et partir.

✦

Quand Marie-Amélie m'a montré la nappe, j'ai éclaté de rire.

— Qu'est-ce que tu veux faire de ça ?

— Un pique-nique, voyons ! m'a-t-elle répondu avec son plus grand sourire avant de se mettre à rire elle aussi.

Un pique-nique au fond de l'océan. Marie-Amélie avait remarqué que j'étais un peu déprimé depuis une semaine ou deux. Nous étions alors dans l'Habitat depuis presque trois mois et je commençais à avoir le mal du pays. Après l'avoir vue de si bonne humeur, je me suis souvenu que je ne l'avais pas embrassée depuis une bonne semaine. Tout à coup, c'était comme si je me sentais libre, complètement. Le problème, avec le travail d'exploration de la faille, c'était que nous vivions dans notre lieu de travail. Il était facile de se laisser obnubiler par toutes les tâches à accomplir et de ne jamais décrocher. Mais j'ai vite compris le petit jeu de Marie-Amélie : elle voulait transformer la salle de détente. Comme nous l'utilisions très rarement de toute façon, cela ne dérangeait en rien. Nous avons empilé les meubles, les coussins et les décorations dans un coin, nous avons demandé à l'Habitat un éclairage tacheté semblable à celui que dessine le feuillage de plusieurs arbres rapprochés. Marie-Amélie a eu l'idée de la bande sonore, elle a demandé de faire jouer des bruits tels que des chants d'oiseaux et le murmure du vent dans les feuilles. Avec un effort d'imagination minimal, nous pouvions nous sentir comme si nous étions dehors pour vrai.

— Alors, tu te sens mieux ?

Je me suis contenté de hocher la tête en souriant. Je me suis approché d'elle, ai passé un bras autour de ses épaules pour l'embrasser, puis je lui ai soufflé :

— Merci.

— On a passé trois mois dans cette cage sous-marine sans perdre la raison ! Ça vaut bien une petite célébration.

Elle s'est levée pour aller chercher une bouteille de vin. Nous avons bu. Fait l'amour.

C'était merveilleux. Pour la première fois, l'Habitat n'était plus cette cage froide et sombre. Il devenait un paradis intime, exclusif.

Par la suite, nous nous sommes amusés à déguiser la salle de détente en restaurant, en salle de spectacle, en bord d'autoroute, en champ de fleurs.

✦

La musique vient de s'éteindre. Le disque est fini.

— Tout va bien, Dave ?

Mes joues sont humides. J'ai pleuré. Je hoche la tête.

— Tu dois m'en vouloir d'être parti. De t'avoir laissée toute seule.

— Non. Tu avais raison d'avoir peur. J'aurais sans doute fait la même chose.

Je souris malgré la peine.

— Tu dis ça juste pour me déculpabiliser. Je crois plutôt que tu serais restée avec moi.

Pas de réponse.

— Tu as envie de faire un pique-nique ?

Il se passe un long moment sans que je réagisse. Comment le pourrais-je ? Je reste donc là.

Après une éternité, je sors de la chambre et retourne à l'entrée de l'Habitat. Les choses que j'ai entassées me font l'effet d'une trahison. La nappe cirée est toujours là.

Tirant dessus d'un coup sec, je la déplie et envoie valser des tubes de verre, des crayons et des livres un peu partout.

Je jette la nappe autour de mon cou, me dirige vers le garde-manger. Il s'agit d'une petite pièce froide où sont entreposées des centaines de boîtes grises. Normalement, personne n'a besoin d'entrer ici, l'Habitat possède des bras robotisés et peut se servir lui-même pour préparer à manger. Toutefois, nous avions la possibilité, s'il nous en prenait la fantaisie, de préparer nous-mêmes notre nourriture. L'un des bras mécanisé s'active juste au moment où j'avance vers les réserves de vin. Le bras saisit cinq ou six boîtes. J'entends des mécanismes s'activer dans les murs. J'empoigne une bouteille au hasard et ressors.

Une fois dans la salle de détente, je souris. Emma a fait vite. Le repas est déjà servi.

Elle a choisi le décor de notre tout premier pique-nique. Le sous-bois peuplé d'oiseaux. Cette fois, par contre, il ne s'agit pas d'un vulgaire décor de synthèse et d'enregistrements répétitifs. En fait, j'ai plutôt l'impression de pénétrer dans un rêve. Les arbres qui sont projetés sur les murs bougent doucement sous les faibles bouffées de vent, je peux voir les oiseaux qui sautent de branche en branche, je pourrais presque caresser l'herbe du bout des doigts. Le décor, si réaliste, donne une impression de vastitude impressionnante. Je ne perçois rien de cyclique dans le chant des oiseaux ni dans le mouvement des feuilles d'arbres.

Je m'avance et déploie la nappe. Elle a même pensé à la température ! Il fait frais, le vent apporte un parfum de pollen et de verdure.

Emma n'a rien d'effrayant. J'ai été idiot. Et pourquoi l'avoir rebaptisée ainsi, au fond ? Il s'agit de Marie-Amélie depuis le tout début. L'appeler par un acronyme n'était qu'une façon pour moi de différencier le corps humain de l'ordinateur.

Mais ces deux choses n'étaient que des enveloppes. Mon épouse est restée la même.

Avant de m'asseoir sur la nappe, je sors la télécommande de ma poche et appuie deux fois sur le voyant orange.

Plus besoin de laisser le moteur tourner.

Dave CÔTÉ

Dave Côté a commencé à écrire en produisant un manuscrit par an et en l'envoyant chez des éditeurs en se disant qu'à la longue, on finirait par le reconnaître et lui accorder une chance. C'est dans un but purement stratégique qu'il a ensuite commencé à écrire des nouvelles : on lui disait qu'il fallait commencer par là. Après ses premières publications dans **Brins d'Éternité** et dans **Clair Obscur** ainsi que ses premiers ateliers d'écriture, il a toutefois vu la réelle importance que les nouvelles littéraires pouvaient occuper dans sa démarche. Il continue donc à laisser place aux personnages loufoques qui naissent dans son esprit, aussi bien dans des nouvelles parues dans **Solaris** que dans son roman **Noir Azur**, publié aux Six Brumes.

Marie-Amélie

Isabelle LAUZON

Laurine Spehner

J'attendais le décollage, en observant les passagers tandis qu'ils cherchaient leur place. Me rongeant les ongles. Et maudissant Marie-Amélie.

L'avion a pris son envol. Puis le pilote a annoncé notre destination et un agent de bord a enchaîné avec son boniment à propos des Maldives. L'un des derniers paradis terrestres de ce monde, un chapelet d'îles à visiter sans faute avant qu'elles ne soient englouties par la montée inexorable des eaux. J'en avais marre, de ces discours à saveur écologiste. J'ai branché mes écouteurs et syntonisé une station de musique classique.

Je n'étais pas venue en touriste mais pour Marie-Amélie. Rejoindre les rangs des prêtresses marines, quelle idée stupide ! Une lubie de jeunesse qui pouvait lui coûter cher. Elle ne se rendait pas compte. Si elle croyait que j'allais la laisser faire sans réagir !

À mon arrivée à l'aéroport de Malé, une bourrasque a soulevé ma jupe et j'ai perdu mon foulard. J'avais oublié à quel point l'air des tropiques pouvait se montrer dérangeant. La chaleur m'écrasait déjà et, pourtant, je venais à peine d'arriver.

Éric m'attendait. Avec son habituel teint basané, quelques fils d'argent de plus dans sa chevelure et un bouquet de roses jaunes à la main. Il a transporté mes bagages, a été aux petits soins pour s'assurer de mon confort à l'hôtel. Une tentative pour m'amadouer, je n'étais pas dupe.

Le lendemain matin, alors que j'essayais de me réveiller devant un café et une montagne de fruits, il m'a rejointe et m'a tendu des feuilles de mica. Le seul moyen permis, semblait-il, pour communiquer avec Marie-Amélie sous l'eau.

Des feuilles de mica et un marqueur noir, vraiment? Étions-nous donc revenus à l'âge de pierre? La nuit avait été longue, à me retourner sur le mauvais matelas aux ressorts déglingués, sans parler de la cacophonie de la faune ailée locale, qui s'était mise à piailler aux premières lueurs de l'aube.

Le sourire compréhensif d'Éric. Si sûr de lui, si condescendant. Comme s'il comprenait tous les mystères de l'univers. À cet instant, je l'ai détesté. Encore plus que lors de son départ. Nous n'avions pas encore échangé à propos de nos existences respectives, mais je doutais qu'il soit demeuré chaste depuis notre séparation. Une charmante Maldivienne l'attendait peut-être quelque part, réchauffant son lit tandis qu'il me servait de guide. Cette idée même me révulsait.

J'ai à peine touché à mon petit-déjeuner. Nous avons marché jusqu'à la vedette d'Éric où, sans surprise, j'ai hérité d'un attirail de plongée de facture classique: palmes, bouteilles et masque à porter plus tard. Combinaison trop moulante pour mes rondeurs à enfiler dès maintenant.

Je me suis exécutée en grommelant. Je devais être horrible dans cette tenue. Surtout si l'on me comparait à ces beautés exotiques qui allaient et venaient sur la plage, en exhibant leurs ventres plats et leurs poitrines parfaites.

De toute manière, je n'avais pas vraiment le choix. Puisque Marie-Amélie ne pouvait ou plutôt ne voulait pas venir à la surface, j'irais donc la rejoindre dans ce qu'elle appelait son nouvel élément. Il ne serait pas dit que je n'aurais pas tout fait pour accomplir mon devoir de mère.

Pourquoi cette lubie, ce soudain engouement pour la mer, d'où est-ce que ça lui venait? Ce devait être une passade. Une crise de fin d'adolescence. J'avais dû manquer mon coup quelque part, mais où?

Éric nous a conduits au lieu de rendez-vous. Par chance, le moteur grondait trop fort pour que nous puissions entretenir une conversation. Je me suis contentée d'observer l'horizon et de me laisser brûler la peau par le soleil.

Peu à peu, mon esprit s'est mis à vagabonder vers cette époque ancienne où nous étions encore heureux ensemble, tous les trois. J'ai revu nos escapades en famille, en particulier cette fameuse séance de pêche au gros dans laquelle Éric nous avait un jour entraînées. Ce satané requin que Marie-Amélie avait ramené sur le pont du bateau. Ses pleurs lorsqu'elle avait compris que son poisson allait mourir. Les rires de notre guide et des autres passagers. Éric ne s'était pas moqué, lui. Il m'avait aidée à la consoler. Il avait toujours su comment nous réconforter dans les moments difficiles.

Son bras autour de mes épaules. Ses étreintes sauvages lorsque nous étions enfin seuls, le soir, et que Marie-Amélie dormait.

La vedette s'est immobilisée à proximité d'une bouée verte et je me suis secoué l'esprit. Que m'arrivait-il? Je devais me reprendre, chasser cette nostalgie importune. Pour cacher ma gêne, je me suis activée près de l'ancre.

Sans paraître remarquer mon trouble, Éric m'a donné quelques conseils sur les manœuvres à venir. Nous avons ensuite plongé. Au début, j'ai un peu cherché la manière, les bons gestes, mais la technique m'est vite revenue. Nous avons descendu par paliers, en respectant mon rythme.

Au fil de notre descente, mon impatience s'est intensifiée. Pourquoi était-ce si loin? Marie-Amélie aurait tout de même pu parcourir la moitié du chemin. Que lui avais-je donc fait ou dit pour qu'elle me repousse ainsi? D'accord, notre relation n'était pas parfaite, nous avions eu quelques mots, mais de là à s'exiler pour devenir une prêtresse marine, il y avait des limites!

Nous avons fini par atteindre le fond. Quelques algues, des mollusques paresseux et du sable à perte de vue. Et des poissons, bien entendu, mais rien qui aurait pu me convaincre de rejeter les beautés de la surface.

Heureusement, Marie-Amélie n'a pas mis trop de temps avant de nous rejoindre. Elle nageait vers nous avec vigueur, sa longue chevelure rousse ondulant derrière elle, mise en valeur par son maillot vert lime. Si belle, j'avais presque oublié à quel point elle était belle. Comme elle m'avait manqué!

Elle m'a souri. Pas aussi complice que je l'aurais souhaité, mais tout de même de façon cordiale. C'était un début.

J'ai été estomaquée devant le stade avancé de sa transformation. Ses extrémités étaient déjà palmées. Et ces minces lignes, de chaque côté de son cou, ce ne pouvait être des branchies?

Une fille l'accompagnait. Collègue ou amie ? Éric m'a tendu le marqueur et les feuilles de mica. Par où commencer ? Les paroles d'usage, bien sûr. Bonjour, ma belle. Bonjour, maman. Attention, il faudrait négocier serré. Elle semblait si sereine, si sûre d'elle. Contente de te voir, tu me présentes ton amie ?

Ces feuilles de mica étaient une vraie plaie. Une exigence rétrograde de cette secte de prêtresses. Comme tout le monde, j'avais entendu parler de leurs manies, sans trop m'y attarder. De savoir ma fille entre leurs griffes, ça me rendait folle. À ce rythme-là, nous en aurions pour l'éternité à nous expliquer.

L'autre fille s'appelait Valérie. Je n'ai pas osé demander quel était leur lien. Un rien dans leurs regards, cette gêne, ces gestes esquissés l'une vers l'autre, réprimés. Je n'étais pas sûre de vouloir comprendre.

Il était temps que nous parlions seule à seule, de mère à fille. J'avais fait ma part, c'était au tour de Marie-Amélie. Elle n'était pas chaude à l'idée de remonter à la surface, mais elle a bien voulu m'accommoder.

Je me rappelle ma remontée trop hâtive. Éric m'a aidée à patienter, à respecter les paliers de décompression nécessaires. Si attentionné. Il devait l'être tout autant avec ses élèves de plongée, je ne devais pas me faire d'idées folles.

Puis nous avons émergé. Marie-Amélie ne semblait pas très à l'aise hors de l'eau. Sa respiration sifflante, ça m'a brisé le cœur. Et dire qu'elle avait consenti à cette transformation. Non, elle l'avait réclamée ! Ces opérations progressives, ces hormones injectées dans son corps si fragile. Elle qui avait toujours attrapé tous les rhumes de passage, à quoi donc avait-elle pensé ? Je n'avais pas souffert les tourments de la maternité pour la regarder se détruire ainsi !

Au moins, elle pouvait encore parler. Pour l'instant.

Au fil de notre discussion et de nos désaccords, le ton a monté. Marie-Amélie n'avait jamais aimé que je lui dicte sa conduite. De tout temps, elle avait été une enfant rebelle, indocile. Incapable d'obéir sans argumenter, même lorsque ses torts étaient évidents.

À présent, elle semblait si convaincue de son choix. Mais elle ne savait rien de la vie ! S'exiler dans les mondes sous-marins, c'était bien joli, mais serait-elle prête à renoncer à un mari, à des enfants ? La surface ne lui manquerait pas ? Et moi ?

Elle s'est enflammée et m'a exprimé, dans l'un de ces élans de fougue dont elle avait le secret, à quel point la mer avait besoin d'elle. Pour réparer les torts qui lui avaient été causés, pour la sauvegarde des espèces. D'ailleurs, il était trop tard. Elle s'était déjà engagée envers l'élément aqueux, source de toute vie. Elle ne pouvait revenir en arrière, ses vœux avaient été prononcés.

Puis elle a baissé la tête et sa voix s'est transformée en murmure. Elle m'a alors avoué un autre engagement. Un engagement pris avec son amie Valérie.

Dès qu'elle a prononcé ce nom à voix haute, j'ai su. C'était donc cela! Une amourette pour une marine. Tout sacrifier pour un soi-disant amour, tout balancer pour un motif aussi stupide. L'amour finissait par passer. Éric et moi, ça n'avait pas duré. Rien ne durait vraiment.

Ainsi, elle dédaignait les hommes. Préférait les femmes. Mutilait son corps et se préparait à passer le reste de son existence en exil. C'était trop, j'ai perdu ce qu'il me restait de sang-froid.

Il n'était pas question qu'elle gâche tous nos projets d'avenir pour une liaison passagère! N'avait-elle pas dit qu'elle souhaitait devenir enseignante, comme moi? Ce projet semblait l'enthousiasmer avant. Avant qu'Éric ne l'emmène, qu'il ne me la vole et ne lui mette des idées stupides en tête!

Sa chère Valérie ne pouvait plus vivre à la surface, sa transformation était irréversible? C'était bien triste, mais je m'en foutais. Je voulais que ma fille me revienne. Ces maudites prêtresses n'auraient plus d'emprise sur elle une fois qu'elle serait à la maison. Nous reprendrions notre vie d'avant. Ne comprenait-elle pas que je voulais son bien?

Nous n'étions plus seules. Après s'être tenus un moment à l'écart sous la surface, Éric et Valérie venaient de se décider à rompre notre tête-à-tête. Je voyais bien qu'Éric se rangeait du côté de notre fille, ce que j'ai ressenti comme une trahison supplémentaire, une autre à ajouter à une longue liste. Il avait toujours été trop permissif. Prêt à pardonner à Marie-Amélie ses incartades, à la laisser apprendre de ses erreurs, à l'encourager dans ses projets les plus fous. Et prompt à me reprocher d'agir dans le sens contraire, alors que je me devais de contrebalancer son laxisme.

Et dire que j'avais tant pleuré son départ! Toutes ces nuits à rêver de lui, à le chercher dans mes draps. À repousser n'importe quel homme qui m'approchait, car aucun n'avait sa belle voix grave, ses yeux si tendres, son merveilleux sourire.

Folle, j'avais été folle. Il était trop tard pour nous deux, mais pas pour sauver notre fille.

La main de Marie-Amélie a cherché celle de sa Valérie. Je ne pouvais plus les supporter. Ils étaient tous contre moi. Comme si les décisions avaient été prises à l'avance, sans que je n'aie mon mot à dire.

Non, tout n'était pas joué. Qu'on me laisse encore quelques minutes avec ma fille et je lui ferais entendre raison !

Puis d'autres marines nous ont rejoints. Il en venait des tas, silencieuses. Je me suis sentie prisonnière, engoncée dans ma combinaison de plongée. Pourquoi me souriaient-elles ? Ces branchies dans leurs cous. Il était hors de question que ma fille devienne comme elles. Un monstre.

Je voyais bien que Marie-Amélie avait de plus en plus de mal à respirer. Nous sommes retournées sous l'eau, à peine quelques brasses en dessous de la surface. Un compromis, cadeau trop rare dans notre relation.

Je ne pouvais peut-être déjà plus la sauver. Non, je refusais de l'abandonner. Nous trouverions le meilleur médecin. Je paierais les frais. Elle devait me revenir !

J'ai récupéré les feuilles de mica. Éric en avait apporté plusieurs, mais que se passerait-il lorsqu'il n'y en aurait plus ? Nous ne pourrions communiquer que par signes ?

Malgré mes efforts, nous étions dans une impasse. Chacune campée sur ses positions, prêtes à la dispute. Avec Éric à nos côtés, un air navré affiché sur son visage. Comme si j'étais la seule responsable de cette situation.

Puis une longue plainte est parvenue à mes oreilles. Une baleine ? Il n'y en avait plus beaucoup, elles étaient en voie d'extinction. En fait, je n'en avais jamais vu, sauf dans les vidéos, mais ça n'avait rien à voir avec ce chant si doux. Étrange. Magnifique.

Les marines se sont dirigées vers la baleine. Je me suis irritée de voir Marie-Amélie se joindre à elles, mais Éric m'a indiqué, à l'aide des feuilles de mica, que sa présence était requise, voire indispensable. Selon lui, seuls les chants conjugués d'une quantité importante de marines pouvaient leur permettre de communiquer avec une baleine de cette taille. Chaque contribution comptait.

Ce n'était pas tant les mots, c'était ses yeux. Il me regardait presque comme avant. Je me suis calmée et nous avons observé ensemble le manège des marines.

La baleine était si immense, et les filles si minuscules en comparaison ! Avec grâce, elles se sont disposées autour de la bête, en se concentrant surtout sur sa tête. Pour qu'elle puisse mieux les voir et les entendre, ai-je supposé.

Puis les voix de quelques marines se sont élevées dans un même son, répété à l'infini et repris par leurs consœurs. Une sorte de plainte, semblable à celle de la baleine, mais en même temps différente. Apaisante, presque hypnotique. Les corps des prêtresses se sont mis à onduler. Comme des algues dans le courant, ai-je pensé. Même si j'avais eu envie de me joindre à elles, je n'aurais jamais été en mesure de les imiter. Seuls leurs corps transformés pouvaient leur permettre de nager d'une manière aussi naturelle.

Malgré le relent de ressentiment qui m'habitait encore, je me suis sentie privilégiée de pouvoir assister à un tel spectacle.

Au bout d'un certain temps, la danse des marines s'est arrêtée et la baleine a entrepris de poursuivre sa route, cette fois-ci dans une autre direction. J'ai appris par la suite que les prêtresses guidaient ainsi les baleines en perdition. Pour leur éviter de s'échouer sur les côtes ou pour qu'elles retrouvent leurs semblables. L'une des nombreuses missions des marines.

Une fois son travail accompli, Marie-Amélie est revenue vers nous. De la voir ainsi, resplendissante, contribuant à une cause plus grande qu'elle, ça a chamboulé toutes mes convictions.

À ce moment, j'ai commencé à comprendre.

J'avais mis Marie-Amélie au monde. Je m'étais efforcée de lui offrir une vie heureuse. À présent, il était temps de lâcher prise, de la laisser choisir son propre bonheur et ses propres combats. Même si ça devait m'arracher le cœur.

Ma grande et moi nous sommes observées. Elle a haussé les sourcils en me voyant aussi près de son père. Un sourire s'est étiré sur sa figure et elle s'est avancée vers moi. J'ai lâché la main d'Éric. Je ne me rappelais même pas l'avoir prise. Ou peut-être était-ce lui ?

Ma belle Marie-Amélie. Nos deux corps, fondus dans une longue étreinte. Si j'avais été dans mon élément naturel, si je n'avais pas eu cet embout de silicone entre les dents, j'aurais poussé un soupir. Nous arrivions enfin à communiquer.

À partir de cet instant, les messages sur les feuilles de mica de Marie-Amélie sont devenus plus enthousiastes. Des explications sur le mode de fonctionnement des communautés marines, les bienfaits de leurs actes, l'appui de divers gouvernements à leur cause.

Je me souviens du bras d'Éric autour de mes épaules. De mes sanglots sous l'eau. De notre famille réunie, peut-être pour la dernière fois.

✦

Marie-Amélie doit avoir rejoint l'une des bases des prêtresses à présent. Quelque part dans les abysses d'une mer dont je ne connaîtrai jamais l'emplacement.

À présent que sa transformation est complète, tout contact nous sera difficile, voire impossible. J'ai cru comprendre que sa communauté ne voyait pas d'un bon œil l'entretien de relations avec la famille et les anciens amis.

Puisque tel est le souhait de Marie-Amélie, je ne m'opposerai plus à sa volonté. Je me tiendrai à l'écart de sa vie. Au moins, nous avons réussi à nous retrouver, même si c'était pour nous perdre ensuite.

J'ai conservé quelques feuilles de mica en souvenir. Seulement celles qui me tirent un sourire ou m'aident à mieux comprendre l'importance de la mission des marines. Éric me trouve rigolote. D'après lui, nos invités jugeront l'usage que j'en ai fait bien particulier, mais je m'en moque.

À chacun de nos repas, ces feuilles étalées dans le désordre et rassemblées à l'aide d'une couche de plastique translucide me rappelleront mon obstination et mes erreurs. Je ne commettrai plus les mêmes. Éric m'y aidera. Sa patience avec moi, sa compréhension. Notre bonheur retrouvé. C'est un nouveau départ. Malgré ma peine, je me sens bien.

À tout jamais, cette nappe cirée me rappellera Marie-Amélie.

Isabelle LAUZON

Les relations mère-fille touchent particulièrement Isabelle Lauzon. La preuve : elle verse toujours une petite larme à la fin du film d'animation **Rebelle** (ce qui est tout à fait pathétique, elle est au courant !). Elle dédie « Marie-Amélie » à toutes les femmes, qu'elles soient filles, mères, grands-mères... ou plusieurs de ces réponses à la fois ! Parce que parfois, on a beau s'aimer, il arrive qu'on ait du mal à se comprendre. Et dans ce genre de situation, le plus merveilleux cadeau à donner à nos enfants, c'est bien souvent de les laisser prendre leur envol... On peut suivre Isabelle sur le Web au :
    http://laplumevolage.blogspot.com

Photo : Claude Dumas

Attente

Mathieu CROISETIÈRE

Laurine Spehner

Dix-neuf heures approchaient et Manon n'était toujours pas là. Ce n'était pas son genre de ne pas téléphoner. Michel avait beau jouir de ce moment de solitude inattendu, s'être tranquillement installé dans le fauteuil avec une bière et le dernier roman de Haruki Murakami, chaque fois qu'une voiture passait dans la rue ou qu'il entendait une portière se refermer, il se levait promptement et se penchait à la fenêtre pour voir si ce n'était pas elle qui arrivait. Il commençait à être inquiet et à se dire que finalement elle ne rentrerait pas souper.

Il se rendit dans la cuisine et mit de l'eau à bouillir sur le poêle. Il se déboucha une autre bière, prit le sans-fil et recomposa le numéro de cellulaire de Manon. Il tomba une fois de plus sur sa messagerie : « Bonjour, vous avez bien rejoint Manon Lauzière-Saint-Gelais, je ne suis pas disponible actuellement mais s'il

vous plaît laissez-moi un message et je vous rappellerai le plus
tôt possible. » Michel lui dit de le rappeler, plus pour la forme
que dans l'espoir réel qu'elle le fasse, car si elle ne l'avait pas
déjà fait, c'était probablement qu'elle n'avait pas accès à son
cellulaire. Lorsqu'elle entendrait ce message, elle serait sans
doute déjà rentrée.

Quand l'eau commença à bouillir, il sortit une poignée de
spaghettis de l'armoire, la cassa en deux parties et plongea celles-
ci dans l'eau. Il attrapa une fourchette et entreprit de séparer les
tiges afin qu'elles cuisent de manière uniforme. Après quelques
minutes, il versa les pâtes dans une passoire et transvida le tout
dans une assiette en y ajoutant un peu de beurre et du pesto. Il se
tartina une tranche de pain, mit la télé à *Drôles de vidéos* et en-
gloutit son repas assis par terre devant la table du salon. Quand
il eut terminé, il alla mettre assiette, ustensiles et casseroles au
lave-vaisselle, et jeta le reste de sa bière dans l'évier. Il faisait
déjà nuit noire en ce 24 octobre. Par la fenêtre au-dessus du
comptoir, il avait du mal à distinguer quoi que ce soit. La cour
arrière donnait sur un petit bois qui les séparait de l'autoroute
sur environ huit cents mètres. Il avait plu dans la journée et il
pleuvrait probablement encore cette nuit. La cime dénudée des
arbres se profilait sur le ciel gris, se balançant au gré du vent
comme des squelettes faisant la vague.

On sonna à la porte. Il imagina Manon, les bras chargés de
sacs d'épicerie, quémandant son aide. Il alla ouvrir et tomba sur
une jeune fille qui avait entre dix-huit et vingt-cinq ans, le teint
blafard, les cheveux noirs et sans éclat. Elle n'était ni vraiment
laide ni vraiment jolie, mais ses joues étaient couvertes de boutons
qui lui donnaient un air crasseux, l'air d'avoir dormi plusieurs
jours dans une ruelle au fond d'une boîte en carton. Elle portait
un jeans troué et une veste en cuir avec, du côté du cœur, un
écusson à l'effigie des Dead Kennedys et, de l'autre, le symbole
Anarchie dessiné avec du liquide correcteur. Sans qu'il ait le
temps de réagir, elle lui tendit un prospectus sur lequel figurait
le visage de deux adolescents, un garçon et une fille, qui parais-
saient tout droit sortis d'une pub pour une clinique dentaire.

— Salut, ça va bien ? dit-elle d'un trait.
— Ça va… répondit-il, vaguement méfiant.
— Connaissez-vous la fondation REPO ?
— Non.

« Mais je sens que tu vas pas tarder à me l'apprendre »,
pensa-t-il.

— La fondation REPO est un centre d'aide qui a été mis
sur pied pour aider les jeunes en mal de vivre, qui ont des problèmes de drogue, d'intégration, qui subissent des pressions, des
abus, ou qui veulent tout simplement en finir avec la vie. Est-ce
que vous avez des enfants ?

« *Tout simplement* en finir avec la vie ? »

— Non.

— Ouais, bon, mais c'est quand même important de sensi-
biliser les gens au centre REPO, surtout dans des quartiers comme
le vôtre. Moi, c'est mon beau-père qui me violait avec un de ses
amis. Parfois ensemble, parfois séparément. Vous savez ce qu'est
la sodomie ?

— … ?

— C'est loin d'être agréable. J'ai dû suivre une thérapie pour
ça. J'ai aussi eu de gros problèmes de drogue, mais c'est fini
maintenant et tout ça grâce à REPO. Ils ont une ligne d'écoute
téléphonique ouverte vingt-quatre heures sur vingt-quatre : 1-800-
666-REPO. C'est dans le prospectus.

Michel était abasourdi. Se moquait-elle de lui ? Il la fixa droit
dans les yeux : de toute évidence, elle disait la vérité. Comment
pouvait-elle lui balancer ça comme ça ? Était-ce sa manière à elle
de se guérir ? Avouer à des inconnus avoir été agressée sexuel-
lement ne lui semblait pas du tout quelque chose de sain.

— Nous vendons des stylos et des lampes de poche, que
j'ai ici, dit-elle en montrant un sac qu'elle portait en bandoulière.
Ça vous intéresse de nous encourager ?

— Euh… non merci, je n'ai besoin de rien.

— Un don en argent serait aussi le bienvenu.

— Désolé, je n'ai vraiment rien sur moi.

— OK. Y a pas de problèmes. Gardez quand même le prospectus, on sait jamais c'qui peut s'passer.

Venait-elle de lui faire un clin d'œil ?

— Pardon de vous avoir dérangé. Merci encore de votre
écoute. Je vous souhaite une bonne soirée.

Elle tourna les talons de manière théâtrale, descendit les
marches du perron et suivit l'allée en béton jusqu'au trottoir.
Ensuite elle s'arrêta, regarda de chaque côté et traversa la rue
pour aller sonner à la maison d'en face. Michel referma la porte,

complètement ahuri. « Eh bien, dit-il à haute voix. Ça, c'était bizarre. » Il jeta le prospectus sur la petite pile de circulaires qui commençait à s'accumuler sur le meuble à côté de la porte. Il aurait voulu parler de cette étrange visite à Manon, il déplorait vraiment son absence. Il hésita quelques secondes et retourna à la cuisine. Il s'empara du combiné qu'il avait laissé sur le comptoir et recomposa son numéro. En vain. Mais qu'est-ce qu'elle pouvait bien faire ?

À peine avait-il éteint le téléphone que celui-ci sonna. Il décrocha presque aussitôt.

— Allô ? Manon ?

— Bonjour, dit une voix de femme qui, au jugé, n'avait pas moins de soixante ans. Pourrais-je parler à monsieur Robert Thibodeau, s'il vous plaît ?

Michel soupira.

— Désolé, madame. Vous vous trompez de numéro.

— Ah bon ? Je suis bien au 555-2276 ?

— Oui, mais il n'y a pas de Robert Thibodeau ici.

— Vous en êtes sûr ? C'est pourtant le numéro qu'on m'a donné, je ne comprends pas.

— Eh bien, la personne qui vous a donné ce numéro s'est probablement trompée. Vous m'en voyez navré.

— Mais elle a pourtant écrit ce numéro. C'est bizarre.

Michel pouvait l'entendre tergiverser au bout du fil.

— Euh… bon, très bien alors, dit-elle comme à regret. Excusez-moi.

— Ce n'est rien.

— Au revoir.

— Au revoir, madame.

Il ne s'était pas écoulé plus de trente secondes après qu'elle eut raccroché que le téléphone sonnait à nouveau. Il sut, avant même de dire « allô », qu'il s'agissait de la même dame.

— Est-ce que je pourrais parler à monsieur Robert Thibodeau, s'il vous plaît ?

— Vous êtes toujours au même endroit, madame. Il n'y a pas de Robert Thibodeau ici.

— Oh ! Je ne comprends pas, c'est pourtant bien le numéro de téléphone qui est inscrit sur mon papier. Vous êtes absolument sûr et certain qu'il n'y a pas de Robert Thibodeau chez vous ?

Michel ferma les yeux et se pinça l'arête du nez. Puis il eut une idée. Il passa au salon et ouvrit l'ordinateur portable de Manon sur la table basse.

— Ce Robert Thibodeau que vous tentez de joindre, est-ce qu'il habite dans la région ?

— Oui, pourquoi ? demanda-t-elle, vaguement inquiète.

— Attendez un instant.

Une fois la page d'accueil apparue, il ouvrit Internet et se rendit sur le site de Canada411. Il posa un instant le téléphone et tapa le nom de l'homme et celui de la région. Il obtint quatre résultats. Le numéro du deuxième dans la liste, R. Thibodeau, rue Du Chapelier, était le 555-2256. Il reprit le téléphone.

— Madame ?

— Oui ?

— Je crois que nous avons notre réponse. Il y a un R. Thibodeau qui habite rue Du Chapelier, son numéro est le 555-2256, il n'y a qu'un chiffre qui diffère, c'est sûrement ça.

— Vous croyez ?

— Je parierais n'importe quoi.

— Bon.

Il l'entendit farfouiller, l'air excédé.

— Répétez-moi son numéro que je note ça.

— 5-5-5, 2-2-**5**-6.

— 5-5-5… ?

« Bon Dieu ! » siffla Michel en aparté.

— 2-2-**5**-6, répéta-t-il. Au lieu de 2-2-7-6.

— Quoi ?

— Mon numéro à moi, celui que vous avez composé deux fois de suite pour appeler ici, c'est le 555-2276. Celui de monsieur Thibodeau est le 555-2256, vous comprenez ? Au lieu d'un 7, c'est un 5. Il n'y a qu'un chiffre de différence.

— Ah bon. D'accord.

Elle semblait complètement perdue.

— Ça va aller ? demanda-t-il. Essayez à ce numéro, je suis certain que c'est celui de ce monsieur Thibodeau. Sinon rappelez-moi, on essaiera de voir ce qu'on peut faire. Je m'appelle Michel.

— Michel. Bon, très bien alors. Merci pour tout ce que vous avez fait pour moi, Michel. Pardon pour le dérangement.

— Je vous en prie.

Elle raccrocha et lui aussi. Avait-elle saisi? Il était loin d'en être sûr, aussi ne fut-il pas surpris quand, au bout d'une minute, le téléphone sonna pour la troisième fois. La brève envie d'engueuler cette vieille idiote lui passa par la tête. Il l'imagina à l'autre bout du fil, muette de peur et de surprise, pendant qu'il déversait sa bile dans le combiné. Ce n'était qu'une pensée et pourtant, cette situation commençait vraiment à l'énerver. Il prit une longue inspiration et décrocha.

— Alors, ce n'était pas le bon numéro?

Pas de réponse.

— Allô? Al-lô?

Rien. Juste un vague bruit de fond, une sorte de lointain vrombissement. Il avait un jour écouté des sons de la NASA sur YouTube, en particulier celui que produisait la planète Jupiter lorsqu'on convertissait ses ondes radio en ondes acoustiques. Ça l'avait fortement impressionné, et le bourdonnement ténu qu'il entendait maintenant à travers le téléphone lui rappelait étrangement ce son. On avait la même sensation de quelque chose de métallique, tel un vent qui soufflerait à l'intérieur d'une cuve immense ou d'un gigantesque coquillage flottant au fond de l'espace-temps.

— Allô? Il y a quelqu'un? Vous m'entendez?

Is there anybody out there?

Il n'y avait toujours pas de réponse. Le bourdonnement s'évanouit, remplacé par un faible bruit de parasites ressemblant à de l'interférence, ou une station de radio qu'on essaierait de syntoniser.

— Il y a quelqu'un? répéta-t-il, se sentant complètement idiot.

Il avait l'impression qu'une voix tentait de s'exprimer à travers la friture.

— Allô?

S'il y avait une voix, celle-ci se taisait, retenant son souffle, et puis soudain il l'entendit, avec une telle clarté que son sang se glaça. Cette voix venait de prononcer son nom.

— Manon! Manon, c'est toi?

Il l'avait clairement entendue. Une voix avait dit: « Michel », et cette voix, c'était celle de sa femme.

— Où es-tu, ma chérie? Tu m'entends?

La ligne se coupa. Les doigts moites de sueur, il composa le numéro de cellulaire de son épouse mais tomba encore une fois sur sa messagerie. Il allait laisser un message quand, au lieu du bip, quelque chose *cria*, littéralement, dans son oreille. Il cria lui aussi et lâcha le téléphone. Son oreille bourdonnait comme si on venait de tirer au revolver juste à côté de sa tête. Il ne s'agissait pas d'un bruit de radio, c'était un vrai cri, mais un cri qui n'avait rien d'humain, qui ne pouvait être produit par les cordes vocales d'un homme ou d'une femme.

Comme s'il craignait de déclencher une bombe, il se pencha et, avec d'infinies précautions, ramassa le téléphone. Le boîtier des piles s'était ouvert et l'une d'elles avait roulé sur le sol. Il la remit en place, ainsi que le petit couvercle dont un coin était cassé. L'appareil semblait toujours fonctionner, et pendant un instant il pensa téléphoner à la police mais se ravisa. Il ne se voyait pas du tout expliquer avoir entendu sa femme l'appeler à travers des parasites tout droit sortis de l'hyperespace. Il n'avait pas du tout envie, d'ailleurs, de se servir du téléphone pour le moment et alla directement le déposer sur sa base dans le salon. Il fut tenté de le débrancher, mais se dit qu'il était sans doute plus sage de n'en rien faire, au cas où Manon essaierait (essayait?) vraiment de le joindre.

Michel se mit à faire les cent pas entre la cuisine et le salon. Il haletait comme un perdu, et marcher ainsi le soulagea un peu. Il fallait qu'il réfléchisse. Était-ce vraiment Manon qu'il avait eue au téléphone? Tentait-elle de le joindre d'un endroit d'où il était difficile d'émettre? Est-ce que cela pouvait expliquer ce bruit (*cri*) terrible qui lui avait transpercé le tympan? Il ne se rappelait pas avoir déjà éprouvé un tel mélange de peur et d'égarement. Il y avait, certes, de la peur pour Manon, de la savoir peut-être en danger, mais cette inquiétude était compréhensible. Non, c'était aussi la peur d'autre chose, qu'il n'arrivait pas à rationaliser. Le sentiment que, dans le cours normal de son univers, *quelque chose ne tournait pas rond*. Il avait l'impression que des événements terribles allaient s'enchaîner et qu'il serait totalement impuissant à les contrer.

Il alla dans la cuisine et se servit un verre de scotch. L'effet calmant fut immédiat. Il attendit un moment et s'en servit un autre. C'est alors qu'il crut entendre une portière se refermer à l'extérieur. Il revint dans le salon, s'approcha de la fenêtre et écarta les rideaux. Il n'y avait rien. Était-ce le vent? Il demeura un instant debout à observer en sirotant son verre. Des feuilles voletaient en une averse multicolore, dessinant dans l'espace de curieuses arabesques. Presque tous leurs voisins avaient décoré leur maison pour l'Halloween. Ils étaient sans doute les seuls habitants du quartier à ne pas avoir de citrouille sur le pas de leur porte. Un peu plus haut dans la rue, un type devait avoir acheté tous les trucs gonflables qu'il était possible de se procurer en magasin : quatre citrouilles géantes superposées, diverses sortes de fantômes, des sorcières jaillissant d'une marmite, un Shrek et un Homer Simpson hauts comme des arbres et un chat noir avec la tête mécanisée. Sans compter tous les autres accessoires qui parsemaient sa pelouse : pierres tombales en plastique, crânes empalés, balles de foin, ainsi qu'une bonne douzaine de citrouilles décorées. Trop, c'était comme pas assez. À se demander si ces gens travaillaient, pour trouver le temps d'installer tout ça.

Soudain, la porte d'entrée de ses voisins d'en face, les Bilodeau, s'ouvrit. Elle resta ouverte quelques instants, ce qui intrigua Michel, puis monsieur et madame Bilodeau sortirent, suivis de leur fils et de leur fille, qui l'un et l'autre ne devaient pas avoir plus de huit ans. Les enfants étaient en pyjama sous leur manteau, l'homme et la femme en robe de chambre. Ils soulevaient, chacun attitré à un membre, le corps inerte de la jeune fille qui, un peu plus tôt, avait frappé à sa porte. Cette dernière paraissait inconsciente, et bien que Michel ne pût clairement voir son visage, il reconnut immédiatement sa veste avec les deux motifs sur le devant : Anarchie et les Dead Kennedys. Ils descendirent péniblement l'escalier du perron, le père et la mère ouvrant la marche en portant le corps au niveau des épaules et les enfants derrière, soutenant les jambes. Ils s'arrêtèrent et déposèrent le corps un instant, car les enfants se disputaient au sujet de quelque chose. Puis les quatre reprirent leur tâche et transportèrent la fille jusqu'au milieu de la pelouse, où ils la laissèrent tomber comme une vulgaire poche de patates. Ensuite le père dit quelque chose qui fit rire toute la famille. La fille en rajouta, suivie de la mère, qui jeta un regard espiègle à son mari. Ce dernier ébouriffa la tête du garçon et tous rentrèrent alors à l'intérieur à la file indienne. Sans même un regard derrière lui, le père referma la porte et il n'y eut plus que la jeune fille étendue parmi les feuilles, comme une poupée oubliée là par une enfant inattentive.

Michel n'en croyait pas ses yeux. Personne d'autre que lui ne semblait avoir assisté à la scène. Qu'est-ce que cela voulait dire ? La fille de REPO avait-elle succombé à un malaise en entrant chez ses voisins ? Dans ce cas, pourquoi la tirer à l'extérieur et l'abandonner sur le gazon ? Avait-elle agressé quelqu'un, encourageant la famille à se défendre ? Ça n'avait aucun sens. Il s'apprêtait à composer le 911 quand il aperçut une voiture de police qui, descendant la rue les gyrophares allumés, vint s'arrêter précisément devant la cour des Bilodeau. Deux agents en uniforme en sortirent et gravirent rapidement l'allée jusqu'à la porte de la maison, à laquelle l'un d'eux frappa. Le père ouvrit, ils discutèrent un bref instant, ensuite les trois marchèrent jusqu'à l'endroit où gisait la jeune fille. L'un des policiers se pencha, posa deux doigts sur la gorge de cette dernière pour vérifier son pouls, puis souleva son bras inerte à la manière d'un médecin légiste avant de le laisser tomber. Il dit quelque chose qui fit rire les deux autres, se releva et, avec de grands gestes, donna une série de consignes. Tous retournèrent vers la maison, passèrent la porte et fermèrent derrière eux. Moins d'une minute plus tard, la porte mécanisée du garage s'ouvrit, les trois hommes réapparurent et vinrent chercher le corps qu'ils traînèrent à l'intérieur.

Plusieurs minutes passèrent. Michel avait, au mépris des conséquences, une folle envie de se précipiter dehors, de traverser la rue et de grimper jusqu'au garage pour aller voir ce qu'ils tramaient. Mais plus que de se faire surprendre, il craignait, en détournant le regard ne serait-ce qu'un instant, de manquer la suite. D'où il se tenait, Michel ne voyait pas à l'intérieur du garage, aussi gardait-il les yeux rivés sur le rectangle de lumière qui en délimitait l'entrée. Au bout d'un moment, la silhouette d'un des agents se découpa dans l'ouverture. Il était occupé à reboutonner son pantalon, puis il resserra sa ceinture à laquelle il glissa la matraque qu'il tenait à la main. Après avoir jeté un regard circulaire aux alentours, il retourna à l'intérieur. Une dizaine de minutes plus tard, les trois hommes refirent surface en portant chacun de gros sacs à ordures noirs qu'ils allèrent jeter dans la poubelle sur le côté de la maison. Ils revinrent ensuite se poster à l'entrée du garage, où ils demeurèrent à discuter un moment. Ils avaient l'air de se féliciter du travail accompli, quoi que ce fût. Le pyjama de Bilodeau était taché de sang, mais cela ne semblait pas du tout le gêner. Il serra la main des deux agents et ceux-ci regagnèrent leur voiture. Bilodeau rentra dans le garage et appuya sur le bouton actionnant la fermeture automatique. La porte descendit et il disparut derrière elle comme derrière un rideau après la scène finale d'une pièce. Les policiers attendirent quelques instants dans la voiture. Michel vit le conducteur parler dans l'émetteur radio. Enfin ils démarrèrent, firent demi-tour et, les gyrophares éteints cette fois, repartirent par où ils étaient venus.

Michel déglutit, la bouche sèche, et termina d'un trait son verre, auquel il n'avait pas touché depuis plusieurs minutes. Il devait faire quelque chose, mais quoi ? Qu'est-ce qu'il venait de voir au juste ? La scène semblait si incroyable. Il tentait de combler les trous avec d'autres explications que celles qui s'imposaient spontanément à son esprit, parce qu'il n'arrivait pas à accepter ces dernières. Le policier qui reboutonnait son pantalon, les sacs poubelles, son voisin couvert de sang. Il devait aller voir par lui-même de quoi il retournait. Pas question maintenant d'appeler la police !

Il posa son verre vide sur le rebord de la fenêtre, prit son manteau dans le placard et sortit. Un vent glacial le fouetta. Il releva le col de son manteau et commença à descendre l'allée. Les feuilles voletaient comme des insectes dans la lumière des réverbères. Les arbres agitaient leurs bras décharnés comme des naufragés ballottés par des vagues au beau milieu de l'océan. Quelque chose n'allait pas. Il fallut quelques secondes à Michel pour comprendre. Un homme passait sur le trottoir d'en face. Michel cligna des yeux et secoua la tête pour être certain qu'il n'avait pas la berlue. Cet homme marchait à reculons ! Il ne re-montait pas la rue le dos tourné au vent, il reculait *dans le temps*, comme si Michel voyait un film se dérouler en marche arrière. On ne s'en rendait pas compte tout de suite, c'était seulement en regardant de près que ça devenait une évidence. Il n'allait pas à reculons mais *à rebours*. Toute la démarche de cet homme était inversée, et ça ne se limitait pas qu'à lui. Les feuilles non plus ne tombaient pas des arbres comme elles auraient dû le faire, du moins dans un monde où la physique se serait comportée norma-lement. Quand elles n'allaient pas renflouer un tas qu'un voisin avait laissé sur sa pelouse, et d'où le vent les avait balayées, Michel les voyait rouler le long du trottoir, traverser la rue et les allées pour remonter dans les airs et retourner s'accrocher aux branches d'où elles étaient tombées.

Il se sentit la tête tourner. Un étrange vertige grimpait le long de sa colonne et affluait derrière ses yeux en une puissante bouffée de fièvre. Le ciel s'était partiellement dégagé et les étoiles qui scintillaient au-dessus des toits semblaient tourner à toute vitesse autour de l'axe de la planète, comme dans ces plans accélérés que l'on peut voir dans les documentaires en haute définition de la BBC. Il se crut sur le point de vomir. Tout se déformait sous son regard. Les arbres se penchaient, tendant leurs branches vers lui pour l'attraper. Les réverbères prenaient l'aspect de projecteurs dans une cour de prison. Tous les fils électriques s'entrecroisaient pour former une immense toile d'araignée au centre de laquelle brillaient huit yeux sinistres, que les phares d'une voiture chassèrent subitement. Comme elle roulait elle aussi à l'envers, Michel put voir à travers le pare-brise le conducteur s'éloigner et disparaître au sommet de la côte.

Il ne pouvait supporter une minute de plus ce spectacle antinaturel. Il tourna les talons, mais ce fut comme s'il venait de faire trois cents tours sur lui-même. Il perdit l'équilibre et tomba dans l'herbe humide. Il tenta de se relever et tomba une fois de plus. Il jeta un coup d'œil vers le perron : celui-ci s'éloignait comme s'il glissait le long d'une pente. Michel chassa cette vision en gardant la tête baissée et en rampant tant bien que mal jusqu'aux marches, où il parvint à se remettre debout et à retourner à l'intérieur. Il se dépêcha de refermer la porte et se laissa tomber contre elle. Les vertiges avaient cessé, mais il se sentait essoufflé comme s'il avait couru le marathon. Il s'approcha de la fenêtre et risqua un œil dehors. Tout semblait parfaitement normal. Le vent soufflait, les feuilles tombaient et se dispersaient comme toujours au mois d'octobre. De gros nuages se déplaçaient dans le ciel, dissimulant en partie les étoiles. Une voiture passa, dans le bon sens cette fois. Michel poussa un long soupir. Il prit son verre qui traînait toujours sur le rebord de la fenêtre et retourna dans la cuisine. Il allait se resservir quand il s'aperçut qu'il portait toujours son manteau zippé jusqu'au cou.

C'est alors qu'on sonna à la porte. Il resta figé un moment, trop surpris pour réagir, puis revint dans l'entrée, respira un bon coup et décida d'ouvrir la porte. C'était Manon, chargée de sacs d'épicerie.

— Tu veux m'aider s'il te plaît ? dit-elle, visiblement exténuée.

Sans réfléchir, Michel la tira à lui et la serra très fort dans ses bras. Il n'arrivait pas à le croire. Il fondit en larmes comme un enfant qui vient de retrouver sa mère après s'être perdu dans un centre commercial.

— Mon Dieu, Michel, mais qu'est-ce qu'il y a ?

— Tu ne veux pas savoir, répondit-il en couvrant son visage de baisers.

— OK… mais j'ai les bras qui vont lâcher, là, dit-elle en parlant des sacs. Et si j'vais pas aux toilettes d'ici trente secondes, je pense que j'vais pisser dans mes culottes.

— D'accord, d'accord, dit Michel en riant. Excuse-moi.

Il était si heureux de la voir qu'il oublia temporairement ce qu'il venait tout juste de vivre. Il essuya ses larmes avec la manche de son manteau et lui enleva les sacs des mains. Manon passa devant lui pour se rendre aux toilettes.

— Tu sens l'alcool, toi. Tu t'es soûlé ?

— Je ne pouvais plus supporter ton absence, répondit-il en plaisantant.

— Je vois ça ! s'exclama-t-elle pendant qu'il emportait les sacs à la cuisine.

Il l'entendit poursuivre de la salle de bain :

— Désolée de ne pas t'avoir téléphoné, mon cellulaire était dans la voiture et je ne pouvais pas aller le chercher. Je te l'avais dit, non, que j'avais une réunion ce soir ?

— Je ne sais plus, je ne m'en rappelle pas. Si tu me l'avais dit, j'ai oublié. Désolé. Comme je n'arrivais pas à te joindre, j'étais inquiet, c'est tout.

— Mon pauvre chéri !

La porte d'entrée était toujours ouverte. Le vent s'engouffra et fit tomber des circulaires qui se trouvaient sur le meuble. Il revint sur ses pas pour les ramasser et les remettre sur la pile. Il remarqua parmi elles le prospectus de REPO, avec les deux adolescents Colgate sur le dessus. Il fut surpris de ne pas apercevoir la voiture de Manon dans l'allée. Il sortit sur le perron et observa les alentours. Ils n'avaient pas de garage, donc sa voiture devait forcément se trouver dans l'allée ou dans la rue, cependant il ne la vit nulle part. Il rentra et referma la porte.

— Tu n'es pas revenue en voiture ?

Pas de réponse.

— Manon ?

Tout était parfaitement silencieux. Il traversa le couloir jusqu'à la salle de bain et alluma la lumière. Personne, et le siège des toilettes était relevé. Une sensation désagréable monta dans sa poitrine. Il voulut appeler encore une fois, mais sa voix s'étrangla comme si elle contenait déjà en elle la réponse qu'il cherchait. Dans la cuisine, les sacs d'épicerie avaient disparu. La porte d'entrée s'était rouverte et cognait contre le mur, ballottée par le vent qui, à nouveau, avait fait tomber des circulaires sur le plancher. Il fit les quelques pas qui le séparaient du seuil et referma la porte avec violence. Il ramassa les circulaires, les remit brutalement sur la pile et aperçut le prospectus de REPO qui avait volé un peu plus loin. En le saisissant, il ne put s'empêcher de regarder les deux adolescents qui ornaient la couverture. Il eut l'horrible sentiment qu'ils l'observaient. Il cligna des yeux : ils avaient le visage émacié, les orbites creuses comme des trous noirs, les lèvres cousues et fendues aux commissures en un affreux rire de Joker. Il lâcha le prospectus comme si c'était une tarentule et celui-ci tomba par terre, la photo contre le sol. Michel resta figé à regarder l'endroit où il avait atterri, comme s'il cherchait à vérifier que l'animal était bien mort, avant de se résoudre à le ramasser et à le retourner. Les deux adolescents avaient retrouvé leur visage d'origine. Au dos du prospectus figuraient les coordonnées de la maison REPO : 212, rue Du Chapelier. Du Chapelier ? Ce nom lui disait quelque chose.

Le téléphone se mit à sonner.

Michel tourna la tête vers la base du sans-fil. À chaque sonnerie, la petite lumière sur le dessus du combiné clignotait tel un affreux signal d'alarme. Le monde entier semblait se taire et retenir son souffle dans l'attente de le voir décrocher. Michel s'approcha doucement du meuble sur lequel reposait le téléphone. Il regretta à cet instant de ne pas avoir pris l'afficheur dans les options de son forfait. Sans doute se trouvait-il en état de choc, mais on aurait dit que cet appel provenait d'un lieu infiniment lointain. À chaque sonnerie, *quelque chose* semblait se rapprocher, le réclamant avec de plus en plus d'insistance. Enfin Michel, pour mettre fin à cette tension, tendit la main et décrocha.

— Allô ?

Pas de réponse, mais à nouveau ce son, ce vrombissement cosmique semblable au vent montant d'un gouffre obscur et froid.

— Manon ?

— *Michel ?*

Une voix pleine de parasites, mais qu'il reconnut immédiatement.

— Où es-tu, ma chérie?

À nouveau les larmes coulaient sur ses joues. Il se sentait sur le point de craquer.

— Je t'en supplie, mon amour. Parle-moi.

Des interférences pleines de voix indistinctes, comme des stations se succédant sur un poste de radio.

— *... à l'arrière... rejoins-moi... vite!* parvint-il à entendre, puis la ligne fut coupée.

Il jeta le téléphone sur le sofa et se précipita dans la cuisine, juste à temps pour apercevoir par la fenêtre le rebord beige du pardessus de Manon qui disparaissait entre les arbres, accompagnée par la lueur vacillante d'une lampe de poche. « Nom de Dieu! » siffla-t-il. Son manteau toujours sur le dos, il ouvrit la porte-fenêtre, sauta en bas des marches et se mit à courir en direction des arbres.

Le bois était très dense et il y faisait noir comme dans un four. Les lumières de la maison devenaient inutiles au bout de quelques pas seulement. Aussi Michel fut-il contraint de ralentir quand une série de petites branches vint le fouetter en plein visage. Devant lui, on ne voyait pratiquement rien. Il n'avait que le bourdonnement de l'autoroute pour s'orienter, quelques centaines de mètres au-delà. « MANON! » cria-t-il à pleins poumons. Qu'est-ce qu'elle était en train de foutre? Où pouvait-elle aller comme ça? Ses propres halètements, mêlés au bruit de ses pas sur les feuilles, l'empêchaient d'entendre quoi que ce soit. Il s'immobilisa, scrutant l'obscurité. Venait-il d'entendre un cri? Et là, était-ce le bruit d'une branche cassée? Le grondement étouffé des poids lourds constituait le seul son, en dehors de ceux qu'il produisait, qu'il pouvait reconnaître avec certitude. Mais soudain, Michel crut voir l'éclat d'une lampe, un peu plus loin devant lui, clignoter et disparaître. Il reprit sa course, les bras ramenés sur son visage afin de protéger ses yeux. Il enfonça jusqu'au mollet le pied droit dans l'eau glacée d'un petit ruisseau, ce qui le fit pousser tout un chapelet de jurons.

Il ne tarda pas à distinguer des lumières qui se mouvaient entre les arbres. Le bruit des voitures augmentait, et il émergea bientôt du bois pour atterrir sur le bas-côté de l'autoroute. Il pleuvait à verse. Il s'en aperçut seulement alors, ou cela venait tout juste de se déclencher, mais il ne tarda pas à être complètement trempé, en plus de son pied droit qui à chaque pas chuintait comme une éponge. Il n'y avait aucune trace de Manon, et il commençait à claquer des dents. Les véhicules filaient à droite sans discontinuer, l'aveuglant de leurs phares. Il leur tourna le dos et fit quelques pas le long de la chaussée, regardant partout où les lumières des voitures le lui permettaient, quand soudain il l'aperçut de l'autre côté de l'autoroute. Les cheveux plaqués sur la figure à cause de la pluie, elle se tenait droite comme une barre, fixant un point quelque part en avant de Michel. Ce dernier courut jusqu'à sa hauteur et se mit à agiter les bras en criant son nom. Elle ne semblait pas le voir.

Tel un animal qui aurait longtemps hésité et qui, au dernier moment, se serait décidé, c'est alors qu'elle traversa. Michel entendit juste le klaxon hurler dans ses oreilles quand il bondit pour la rejoindre. L'immense pare-chocs du poids lourd les percuta tous les deux.

✦

On le secouait en prononçant son nom. « Michel ? Tu rêves, Michel, réveille-toi », disait la voix penchée sur lui. C'était Manon. Il était étendu dans le lit à côté d'elle, en boxer et t-shirt, et sentit aussitôt les prémices d'une horrible gueule de bois lui pressurer le crâne. La lumière entrant par la fenêtre lui fit l'effet d'un millier d'aiguilles transperçant ses paupières.

— Qu'est-ce qui se passe ? demanda-t-il d'une voix pâteuse.

— Tu faisais un cauchemar, répondit-elle. Tu avais l'air de me chercher, tu n'arrêtais pas de dire mon nom. Tu t'es encore endormi soûl, mon cochon ? La bouteille de scotch traînait sur le comptoir. J'ai eu beau te secouer quand je suis rentrée, tu ronflais comme un ours.

— Ah oui ? À quelle heure t'es rentrée ?

— Je sais pas, une heure, une heure et demie peut-être. Et toi, qu'est-ce que t'as fait de ta soirée, à part boire comme un trou ?

— Je me rappelle plus trop en fait.

C'était faux, il se souvenait de tout, sauf de ce qui devait s'être vraiment passé. Il avait sans doute bu un verre de trop, s'était endormi sans s'en apercevoir et avait rêvé tout cela : le cadavre de la fille, les Bilodeau èt la police, Manon qui apparaissait, disparaissait et réapparaissait, le bois et l'autoroute. Mais ça semblait si vrai, tellement réel. Il croyait encore sentir la pluie sur son visage, sa chaussette trempée au fond de son soulier, son corps broyé par la gueule monstrueuse du poids lourd. Jamais il n'avait fait de rêve aussi intense.

— C'est quoi ça ? demanda Manon en lui tendant un bout de papier. Tu le tenais tellement serré que j'ai dû te l'arracher des mains.

C'était le prospectus de la fondation REPO, avec les deux adolescents Colgate, ceux qu'il avait vus se transformer en morts-vivants.

— Une fille faisait du porte-à-porte. J'ai dû m'endormir avec, fouille-moi pourquoi.

— Peut-être qu'elle te plaisait ?

— Ouais, c'est sans doute ça.

Elle lui donna un coup de coude dans les côtes.

— Hé ! protesta-t-il faiblement.

— Salaud, voilà c'qui s'passe quand j'te laisse seul. Tu te soûles et couches avec la première fille venue – et dans ton cas, c'est à prendre au pied de la lettre ! « Mais qu'est-ce que j'vais faire de toi ! »

C'était une *inside joke* entre eux, une phrase tirée d'une vieille chanson de Mitsou. Elle déposa un petit baiser rapide sur sa bouche, histoire de ne pas trop respirer son haleine, et ajouta :

— Bon, c'est pas tout, ça, j'ai besoin d'une douche.

Elle se leva, prit sa robe de chambre derrière la porte et quitta la pièce. Il resta un moment, le cerveau en compote, à regarder les deux adolescents sur le prospectus. Ils n'avaient pas du tout l'air de jeunes à problèmes qui renaissent à la vie après avoir sombré « dans l'enfer de la drogue ». Plutôt de deux jeunes choyés par la vie, issus de bonnes familles, et qui n'auraient probablement jamais besoin de faire appel à REPO de toute leur existence. Il jeta le prospectus sur la table de chevet et s'assit au bord du lit. Sa tête tournait affreusement. Il sentait son cœur battre contre ses tempes telle une pompe dans une cale inondée. Son souffle se recroquevillait dans ses poumons et il avait le sentiment que, même en respirant normalement, il lui faudrait plusieurs jours pour renouveler complètement son oxygène.

La sonnerie du téléphone se mit soudain à retentir et ce fut comme une vrille lui trouant les tympans. Le radio-réveil marquait 9 h 37. On était samedi. Sans doute la mère ou la sœur de Manon. Il laissa sonner. Après quatre sonneries, il parut clair que Manon ne décrocherait pas, alors il lui cria :

— Tu veux le prendre, s'il te plaît, je ne me sens pas très bien, là !

Aucune réponse, elle devait déjà être sous la douche. « Et merde », maugréa-t-il en se levant. Il marcha jusqu'au salon, suivit la source de la sonnerie et s'empara du combiné qui se trouvait sur le sofa. Il décrocha, presque en colère.

— Allô ?

— Bonjour. Est-ce que je pourrais parler à monsieur Robert Thibodeau s'il vous plaît ?

Mathieu CROISETIÈRE

Mathieu Croisetière est d'abord poète. Il a déjà publié trois recueils de poésie : **La Vie basse**, **La Fin des mots** et **Banlieues**, aux Éditions d'Art le Sabord. Depuis quelque temps, il écrit des nouvelles, parfois noires, parfois d'inspiration fantastique ou de science-fiction, mais dans lesquelles il aime explorer la question du sens – et du non-sens – de la vie. Il a publié un premier texte dans **Solaris** au printemps 2013, et dans **Alibis** à l'hiver 2014. La même année, il a remporté le Prix Alibis pour sa nouvelle « Panne », et s'est classé finaliste au Prix Solaris pour un texte intitulé « Mon beau sapin ». Il habite à Trois-Rivières.

Les Films de zombies : du meilleur au pire

Un guide pour néophytes

Valérie **BÉDARD** et Mario **GIGUÈRE**

Suzanne Morel

Petit historique des films de zombies

Le zombie est un monstre relativement récent dans l'histoire du cinéma, si on le compare aux vampires, au monstre de Frankenstein ou au loup-garou… Sa première apparition dans un film de fiction date de 1932 avec **White Zombie (Les Morts-vivants)**, de Victor Halperin.

Les premiers films américains de zombies visaient à présenter les Haïtiens et autres insulaires des Caraïbes comme des sauvages dangereux pratiquant le vaudou, une religion diabolisée par les missionnaires chrétiens. On voulait faire passer Haïti pour un endroit maléfique à convertir au plus vite. Du même coup, on présentait une image inquiétante des populations noires, en vue de renforcer les politiques de ségrégation. Signalons comme film marquant de cette époque **I Walked with a Zombie**, de Jacques Tourneur (1943), qui montre le zombie comme une créature clairement fantastique.

De films d'horreur fantastique tournés dans des décors tropicaux, on passa rapidement à la comédie de zombies : **The Ghost Breakers** (1940, avec Bob Hope et Paulette Goddard) et **Zombies on Broadway** (1945, avec un Bela Lugosi devant payer son loyer et sa consommation de drogue). En 1966, la célèbre maison de production Hammer produisit **The Plague of the Zombies**, toujours dans la lignée « sorcellerie de jungle ».

C'est alors qu'arrive cette date fatidique, 1968, où le réalisateur Georges Romero balaie toutes les conventions et réinvente le genre avec **Night of the Living Dead (La Nuit des morts-vivants)**, film en noir et blanc tourné avec un budget de misère. C'est une révolution dans le cinéma d'horreur : un film américain dans lequel le héros est noir, passablement plus intelligent et courageux que les personnages blancs. Ici, plus de jungles ni de cérémonies vaudous : on soupçonne une cause scientifique à la relève des morts affamés. Le cinéma de zombie vient de basculer dans la science-fiction, Romero s'étant inspiré du film **The Last Man on Earth** (1964), lui-même adapté du roman **I am Legend (Je suis une légende)** de l'auteur de science-fiction Richard Matheson.

Même si le grand public n'est pas habitué à l'horreur sanglante et à l'ambiance nihiliste que Romero leur sert, **La Nuit des morts-vivants** devient un film-culte. Le cinéaste filmera une suite tout aussi célèbre, **Dawn of the Dead**, co-financée par Dario Argento qui participera au projet en faisant son montage et sa propre musique, jouée par le groupe The Goblins. Le film aura un énorme succès en France et en Italie. Les spectateurs d'Amérique du Nord devront patienter des années avant de voir le montage original ; on leur servira des versions tronquées où manquent des scènes de *gore* mais aussi des dialogues importants.

Comme les Italiens copient ce qu'ils aiment, on assistera à un déferlement de simili-**Dawn of the Dead**. **Zombi**, un film de Lucio Fulci mêlant la SF et le fantastique, surnage dans le lot, avec entre autres une scène extraordinaire où un zombie se bat sous l'eau avec un requin. Il est à noter qu'entre les deux films de Romero, une série de films fantastiques gothiques d'Armando di Ossorio mettant en scène des Templiers morts-vivants a connu un grand succès en Europe au début des années soixante-dix : **Le Monde des morts-vivants** et **La Révolte des morts-vivants**. Si les séquences avec les Templiers à cheval sont époustouflantes, le reste est plutôt ennuyant.

Dans les années quatre-vingt, **Night of the Living Dead**, le premier film de Romero, tombe dans le domaine public. S'ensuit de multiples remakes dans différents pays, notamment la version en couleur réalisée par Tom Savini en 1990. Très fidèle à l'original, elle est cependant adaptée à la réalité des années quatre-vingt-dix. Ainsi, le personnage de Barbara, passablement irritant par son apathie dans le film original, est ici doté d'une débrouillardise et d'un talent nécessaire à la survie. Notons aussi la sortie en 2006 d'un remake en 3D, amusant et satirique.

Depuis les années quatre-vingt-dix, la grande majorité des zombies ne sont plus victimes de sortilèges ou de magie noire. Nous sommes à l'ère des morts-vivants science-fictionnesques qui succombent à des virus, des ondes magnétiques, des contaminants toxiques… On tente de les rendre plus intelligents et, à notre grand dam, plus rapides ! Une erreur de base, car à notre humble avis, la lenteur du zombie fait partie intégrante de son charme.

Parallèlement, tout un lot de comédies de zombies font leur apparition : **Shawn of the Dead**, **Juan of the Dead** (entièrement réalisé à Cuba), **Warm Bodies**, **Zombiland**… Toujours dans la veine parodique, Dan O'Bannon avait réalisé en 1985 **Return of the Living Dead** dont la prémisse est que les faits relatés dans **Night of the Living Dead** ont été réels et sont passés à l'histoire.

Les meilleurs films dramatiques

L'œuvre entière de Georges Romero est incontournable pour qui veut explorer l'univers des zombies : **Night of the Living Dead** (1968), **Dawn of the Dead** (1978), **Day of the Dead** (1985), **Land of the Dead** (2005), **Diary of the Dead** (2007), **Survival of the Dead** (2008)… et peut-être d'autres, si Dieu lui prête vie !

Soulignons que la série **Walking Dead** est fortement inspirée de l'univers et de l'atmosphère qui se dégage des films de Georges Romero.

[Rec] : Espagne, 2007, réalisé par Jaume Balagueró et Paco Plaza. Nous vous recommandons la version originale espagnole, le remake américain intitulé **Quarantine** manque d'imagination et est nettement inférieur à l'original. À noter l'origine clairement fantastique des zombies de **[Rec]**, car il s'agit ici de possession démoniaque.

Dawn of the Dead : USA, 2004, Zack Snyder. Si vous comparez ce remake à l'original, vous risquez d'être déçu. Les zombies courent, la critique sociale a été évacuée, et les dialogues sont platement utilitaires. Les personnages restent néanmoins intéressants et les péripéties sont captivantes. C'est autre chose. Le co-auteur de ces lignes est un fan fini de Sarah Polley, ce qui explique en partie la présence de ce film dans ce palmarès. Les amateurs purs et durs de Romero feront comme la co-auteure, c'est-à-dire hurleront à l'hérésie à la première écoute du film mais iront en acheter une copie DVD quelques mois plus tard. Et la réécouteront deux ou trois fois.

Reanimator : USA, 1985, Stuart Gordon. Un savant entreprend une expérience scientifique qui tourne mal. Elles font toutes ça ! Un classique tiré de l'œuvre de Lovecraft qui tient bien la route.

DellaMorte dellAmore : co-production franco-italienne, 1984, Michele Saovi. Peu connu en Amérique du Nord, ce film nous présente un gérant de cimetière habitué à gérer la ressucitation des corps. Jusqu'au jour où il doit « tuer » à nouveau une beauté locale dont il était amoureux… À voir !

Les Revenants : France, 2006, Robin Campillo. Cette magnifique allégorie sur l'Alzeihmer offre une interprétation originale du thème. Les morts sortent des cimetières, mais bien mis et sans signes de décomposition. Ils sont lents, maladroits, sans affect mais sans agressivité non plus envers les vivants. Ils cherchent à retourner à leur travail, désormais alloué à quelqu'un d'autre ; de toute façon ils n'ont plus les facultés pour reprendre leur place dans la société et leurs familles ne veulent pas nécessairement s'occuper d'eux. S'ensuit une crise sans précédent au niveau socio-économique… Amateurs de violence et de *blood and gore*, passez votre chemin. Ce film s'inscrit plutôt dans le genre spéculatif intellectuel : « Que se passerait-il, si… ? »

Evil Dead : USA, 1982, Sam Raimi. Film fantastique culte à la mise en scène inventive. Cependant, la co-auteure de ces lignes n'a pas encore réussi à le visionner au complet, à cause de l'intensité du *blood and gore*… Vous êtes avertis !

Resident Evil : Canada, 2002, Paul Anderson. Beaucoup d'action et de bruit mais des effets spéciaux superbes avec de beaux zombies humains et canins. L'histoire, basée sur un jeu vidéo, est aussi mince que l'héroïne. De nombreuses suites ont été produites, malheureusement pour dégénérer en orgies d'effets spéciaux, de fusils et de cascades qui deviennent risibles à force d'exagération.

Cabin in the Woods : USA, 2012, réalisé par Drew Goddard et co-écrit par Josh Whedon. Un merveilleux film, à la fois satire et hommage aux films d'horreurs. On y voit des zombies fort respectables, parmi un bestiaire impressionnant de créatures de toutes sortes. À voir absolument !

Pontypool : Canada, 2008, Bruce Mac Donald. Film ontarien à très petit budget jouant admirablement son jeu grâce à de bons acteurs et un scénario fort astucieux. Un huis clos qui sait garder l'attention du spectateur grâce à une excellente réalisation.

Versus : Japon, 2000, Ryuhei Kitamura. Un mélange spectaculaire de yakuzas, de zombies et de combats de haute voltige ; un humour noir corrosif et du mystère planent continuellement sur ce film réalisé avec un petit budget qui favorise nettement l'action par rapport au dialogue. À voir !

Des productions télé qui valent le détour

Commençons par deux films produits pour le réseau SyFy :

Zombie Apocalypse : USA, 2001, réalisé par Nick Lyon. Tourné rapidement avec peu de budget, ce téléfilm s'en tire quand même mieux que beaucoup de films de zombies sortis en salle. Oubliez la mauvaise direction d'acteurs : pour une fois, les réactions des personnages sont crédibles et ils font preuve de plus d'intelligence que le survivant post-apocalyptique moyen. Un bon divertissement.

Rise of the zombies : USA, 2012, Nick Lyon. La suite n'est pas à la hauteur du premier mais là encore, les survivants font preuve d'imagination dans leur façon de se défendre. En grande primeur dans le cinéma de zombies : les protagonistes comprennent enfin l'utilité du chien en cas d'invasion de morts-vivants !

Signalons aussi :

Dead Set : Angleterre, 2008, Yann Demange. Une minisérie britannique très sarcastique se mérite aussi l'attention des amateurs. Du bonbon pour ceux qui détestent la téléréalité et ses bêtises…

Section « pommes de discorde »

The Walking Dead : malgré sa grande popularité, cette série télévisée américaine ne fait pas l'unanimité chez les fans de zombies. Il y a parmi eux des fans inconditionnels qui pardonnent tout. C'est le cas de l'auteure… Et il y a ceux qui ne peuvent passer outre aux trop fréquents emprunts à l'univers de Romero. Notons qu'on ne mentionne jamais les mots « zombies » ou « morts-vivants » (*living dead*), pour éviter d'avoir à payer des droits au Maître du cinéma zombie. Les première et deuxième saisons sont à voir absolument, mais à partir de la troisième, ça déraille souvent. Ce qui n'empêche pas l'auteure d'attendre la suite avec impatience. On est fan ou on ne l'est pas…

Diaries of the Dead I et **II** : Angleterre, 2011, réalisé par Michael Bartlet et Kevin Gates. Deux films britanniques que l'auteure a bien aimés mais que l'auteur a trouvés trop violents et glauques. Tournés comme des docufictions avec un rendu hyper-réaliste qui n'est pas pour les cœurs sensibles. Bon, il ne faut pas trop réfléchir sur le fait que quelqu'un continue de tout filmer au travers de l'action. Faites-vous votre idée vous-mêmes ! (Sur le même canevas, Georges Romero s'en tire de façon plus crédible dans **Diaries of the Living Dead**.)

La Horde: France, 2009, Yannick Dahan. Pour : des scènes finales époustouflantes compte tenu du budget ; beaucoup des acteurs auraient travaillé de façon bénévole. Contre : des personnages qui tirent partout sauf dans la tête des zombies ; un usage abusif du mot « putain ».

Return of the Living Dead: USA, 1984, Dan O'Bannon. Film qui hésite entre la comédie et le film d'horreur sans se brancher. Se veut au deuxième degré, les zombies sont amusants et bien faits, mais le réalisateur en fait trop ce qui finit par être plus irritant qu'autre chose. N'empêche, le film est devenu culte, donnant naissance à une franchise de suites de plus en plus bouffonnes, les dernières tombant carrément dans la pantalonnade.

Dead Girl: USA, 2008, Marcel Sarniento et Gadi Harel. Bon film qui donne une image vraiment déprimante des jeunes d'aujourd'hui. Très noir et sordide, pour public avisé seulement.

Dead Snow: Norvège, 2009, Tommy Wirkola. Plusieurs Nazis morts-vivants attaquent des jeunes venus faire la foire dans un chalet, inconscients des risques que cela implique dans un film d'horreur. C'est con et c'est gore, l'auteur a aimé, l'autre n'a pas fini le film.

Shock Waves (Le Commando des morts-vivants): USA, 1977, Ken Wiederhorn. Ce film vaut surtout la présence de Peter Cushing et pour l'apparition mémorable de Nazis zombies qui sortent de l'eau.

Flight of the Living Dead: USA, 2007, Scott Thomas. L'interprétation « campy » de ce film donne le ton, on ne se prend vraiment pas au sérieux. Recommandé pour passer une bonne soirée en gang (et saoul de préférence).

28 days later: Angleterre, 2002, Danny Boyle. La presse qui a encensé cette production ne connaît visiblement pas ses classiques. Le scénario pige un peu partout : **Day of the Triffids**, Romero, Stephen King, la série anglaise *The Survivors*, etc. On ne dit jamais dans le film qu'il s'agit de zombies mais bien d'*infectés*. De toute façon, ils courent si vite qu'on les voit à peine, alors ça ne change pas grand-chose…

Zombies Strippers : USA, 2008, Jay Lee. Le titre dit tout. Certains haïssent, d'autres adorent, mais les auteurs ont bien rigolé…

Les meilleures comédies

Shawn of the Dead : Angleterre, 2004, réalisé par Edgar Wright. Les acteurs Simon Pegg et son compère Edgar Right voulaient faire un hommage humoristique à George Romero… Ils ont réussi de façon grandiose ! De bons acteurs, de l'action, un scénario à la fois drôle et respectueux du grand maître. Et des répliques qui ont passé à l'histoire. Un incontournable !

Zombieland : USA, 2009, Ruben Fleischer. Intelligente comédie mettant en vedette Woody Harrelson, Jesse Eisenberg, Emma Stone et Abigail Breslin. Structuré comme un *road movie*, on va de surprise en surprise avec des personnages attachants et drôles. La visite d'un magasin de souvenirs par le quatuor de survivants reste une pièce d'anthologie. Un seul défaut : les zombies courent !

Planet Terror : USA, 2007, Robert Rodriguez. Cet hommage aux films de type **Grind House** dépasse nettement le genre dont il s'inspire ! Rodriguez nous en met plein la vue avec son sens de l'humour noir et de l'exagération. Des acteurs qui ont l'air de s'amuser autant que nous avec un scénario délirant et souvent absurde font de ce film un petit bijou à voir et à revoir !

Warm Bodies : USA, 2013, Jonathan Levine, d'après le livre du même titre de Isaac Marion. Hommage à Roméo et Juliette façon zombie : incroyable, mais ça fonctionne ! Si le film a évacué beaucoup du contenu existentialiste du livre, il n'en reste pas moins une charmante comédie pour ados… et pour les plus vieux aussi.

Juan of the Dead : Cuba, 2012, Alejandro Bruges. Ce petit film entièrement tourné sur l'île cubaine est surprenant de plusieurs façons. La première question qui nous vient à l'esprit est : comment le régime en place a-t-il laissé se tourner un film dans lequel la critique du paradis communiste cubain est aussi mordante ? Les zombies sont maquillés en « dissidents politiques » par les médias et les politiciens, et la vie quotidienne des insulaires est présentée sur un jour quelque peu… pourri. Dans ce contexte, les personnages sont de sympathiques losers qui s'avèrent plus aptes à la survie que la moyenne de leurs compatriotes. Comme quoi, même au pays de Fidel Castro, une pandémie de zombies présente son lot de problèmes… et de rires !

Fido : Canada, 2006, Andrew Currie. Situé dans les glorieuses années cinquante dans une Amérique rutilante, ce film satirique nous montre l'amitié qui lie un petit garçon et un zombie domestique. Car à cet âge industrieux, on ne laisse rien se perdre : les zombies sont des serviteurs qu'on n'a pas besoin de payer… Visuellement très intéressant, avec un scénario qui s'écarte nettement du film de zombies habituel !

Cockeys vs Zombies : Angleterre, 2012, Matthias Hoene. Une pandémie de zombies se déclare dans un quartier ouvrier en voie d'être phagocyté par des condos de luxe. Des jeunes essaient de sauver la résidence pour personnes âgées de leur grand-père, attaquée simultanément par les promoteurs yuppies et les zombies. Si le début est bouffon et maladroit, l'humour britannique ressort finalement et on se surprend même à stresser pour vrai pour le groupe de survivants, dont fait partie la toujours vaillante Honor Blackman. La musique ajoute au charme de ce surprenant petit film.

Dead & Breakfast : USA, 2004, Matthew Leutwyler. Une comédie musicale western avec des zombies. Rien que du bon ! Avec des chansons pas pire aux paroles tordantes…

Graveyard Alive : Canada, 2003, Elza Kephart. Tourné en noir et blanc, avec son rythme lent et ses décors minimalistes, cette allégorie féministe volontairement psychotronique (le sous-titre est *A zombie nurse in love*) est une curiosité qui vaut le détour.

Wild Zero : Japon, 2000, Tetsuro Takeuchi. Les traditionnalistes seront ravis de revoir des zombies dignes des premiers Romero : lents et bleus ! Le film aurait probablement bénéficié d'un resserrement au montage, mais comme personne ne se prend au sérieux une seule minute, on passe un bon moment en compagnie du groupe rock asiatique les *Guitar Wolf*. Comme ils disent si bien dans le film : « *Lok'n Loll !* »

Plan 9 from Outer Space : USA, 1959, Edward D. Wood. Film fait avec le plus grand sérieux du monde pour un budget autour de vingt-cinq cennes par le grand Ed Wood, consacré le pire réalisateur du monde. Un favori des partys d'Halloween. Tout y est hilarant : les dialogues, le jeu des acteurs, les décors et surtout les effets spéciaux totalement risibles. À noter : Bela Lugosi est mort durant le tournage et on l'a remplacé par un acteur n'ayant ni la même taille ni le même gabarit. Du grand série Z !

À éviter

World War Z : USA, 2012, réalisé par Marc Forster. La plaisanterie qui courait peu après la sortie du film : quelle est la seule ressemblance entre le film et le best-seller de Max Brooks (qui est pour l'auteure le meilleur livre de zombies publié à date) ? Réponse : le titre. On aurait mieux fait d'appeler le film « The Brad Pitt Show ». À part deux séquences réussies et stressantes, on assiste à deux heures de gâchis et de gaspillage de fonds. C'est une haute trahison envers le livre. Et on nous montre un nouveau type de créature : le zombie ultra rapide agglutinant ! La preuve que l'argent ne fait pas le bonheur des fans.

Day of the Dead : USA, 2008, Steve Miner. Ce malheureux remake n'a rien en commun avec l'original de Romero, à part le titre et quelques uniformes militaires. Les zombies courent, sautent comme des crapauds et rampent au plafond à toute vitesse. De plus, les maquillages varient tellement d'un zombie à l'autre qu'on n'y croit pas du tout. Bref, tout et n'importe quoi.

Dead Alive (aussi connu sous le titre de **Brain Dead**) : Nouvelle-Zélande, 1992, Peter Jackson. Ce péché de jeunesse de Jackson a mal vieilli. Un scénario impossible, des effets outranciers, une séquence avec une tondeuse qui vire au ridicule et assez de sang et de tripes pour bloquer votre lecteur DVD. Comme dit la sagesse populaire, trop, c'est trop !

Return of the living dead 4 : Necropolis
Return of the living dead 5 : Rave to the grave, USA, 2005, Ellory
Elkayem. « Suites » des trois premiers, ces deux films sont des collaborations américano-roumaines produites pour Syfy Channel. Entièrement mauvais, ces deux films font passer les premiers opus de la série pour des chefs-d'œuvre.

Carriers : USA, 2009, David et Alex Pastor. D'un ennui prodigieux.

Waking the Dead: Canada-Chine, 2010, Mélanie Ansley. Très lent et lassant. À éviter à moins d'être insomniaque.

Last of the Living: Nouvelle-Zélande, 2009, Logan McMillan. Trois morons survivent à l'apocalypse. Ni drôle ni intéressant.

Le Lac des morts-vivants: France, 1980. Débuté, dit-on, par Jesus Franco et achevé par Jean Rollin, qui a refusé de signer le film car il en avait honte. Ça dit tout. Immense platitude qui aurait, paraît-il, fait rire quelques spectateurs. Bref, un très mystérieux navet...

The Children: USA, 1980, Max Kalmanowicz. D'un ridicule consommé ; l'acteur le plus crédible est l'autobus scolaire renversé sur le côté de la route.

The Dead next Door: USA, 1989, J. R. Bookwalter. Ne pas avoir d'argent n'excuse pas tout.

Cape Canaveral Monsters: USA, 1960 réalisé par Phil Tucker. Tourné dans une cour arrière, ce navet fut le dernier film de celui qui donna au cinéma l'un des chefs-d'œuvre du Z : **Robot Monster** (oui, celui du robot fait d'un costume de gorille avec pour tête un crâne dans une vieille TV).

Zombie Dearest: Canada, 2009, David Kemker. Un calembour plate ne fait pas un film. Gênant pour le meilleur pays au monde.

Morts-vivants : La Nuit des tronches, Allemand, 2004, Mathias Dinter. Fortement inspiré des comédies polissonnes d'il y a vingt-cinq ans. Appelez-nous si vous réussissez à le regarder au complet.

Teenage Zombies: 1957, USA, Jerry Warren. Un savant fou communiste fabrique dans sa cachette secrète des zombies tellement lents qu'on se demande à quoi ils peuvent bien servir. Un des personnages consulte régulièrement une montre inexistante à son poignet. La musique est vraiment sans rapport et les dialogues sont abyssaux. Voilà, vous êtes prévenus.

War of the Dead: Canada, 2006, Sean Cisterna. Des vétérans de la Deuxième Guerre mondiale sont tués par des morts-vivants allemands qui ignorent qu'ils ont perdu la guerre. À partir de là, c'est très confus, ça change de ton et de genre ; ça devient aussi très difficile à terminer. Pour les vétérans du genre seulement.

Ghouls: Roumanie, 2008, Garry Jones. Si vous le voyez au club vidéo, passez votre chemin, bonnes gens.

Zombie Planet: USA, 2004, Georges Bonilla. Cassé et moche, carrément pas regardable. Et encore, nous sommes gentils.

The Dead Undead: USA, 2010, Mattiew R, Anderson et Edward Conna. Un film de zombies et de vampires aussi réussi qu'un cocktail cerises et cornichon... Rajoutez des mauvais acteurs, un gros paquet de clichés et un bon ramassis d'inepties. Buvez si vous en avez le courage...

The Outpost : Écosse, 2007, Steve Barker. Tout le bon est dans les quinze premières minutes. Après ça, il ne devait plus rester de budget, car ça devient long, ennuyant et bourré de clichés. Pour les vaillants qui réussissent à poursuivre le visionnement, on vous récompense à la fin en mettant l'héroïne toute nue, fin alienesque oblige. On s'inspire aussi de **Raiders of the Lost Ark** et de **Blair Witch Project**. Tant qu'à faire une salade…

Gangsters, Guns & Zombies : Angleterre, 2012, Matt Mitchell. N'est pas Tarantino qui veut… Se veut tellement cool que ça en est pitoyable. L'éclairage est moche, on nous présente toujours les mêmes plans, les maquillages sont amateurs. Le héros est apathique et inexpressif, on le soupçonne d'être hypothyroïdien car son goitre est évident sur certains plans. Soignez-le, quelqu'un !

Et voilà ! Évidemment, cette liste ne prétend pas être exhaustive. On espère juste vous aider à réussir votre soirée DVD de zombies… Et rappelez-vous de toujours viser la tête !

Valérie BÉDARD / Mario GIGUÈRE

Née à Québec en 1961, obsédée par l'horreur et la SF dans l'enfance, Valérie Bédard se découvre une passion pour le zombie à l'adolescence lors du visionnement de **The Night of The Living Dead** de Romero. Quand elle ne s'occupe pas de ses chiens, de son cheval et de son jardin, elle peint (des zombies, entre autres), fait des costumes et organise des mascarades. Si elle écrit beaucoup d'inepties et d'absurdités (qui seront d'ailleurs publiées en recueil prochainement) un peu partout, elle est aussi une critique sérieuse pour **Solaris**… tout en étant prête (depuis fort longtemps) en cas d'invasion de morts-vivants.

S'il s'est fait discret ces dernières années en illustration et bandes dessinées, Mario Giguère a longtemps contribué à plusieurs fanzines et magazines de science-fiction et fantastique comme **Requiem-Solaris**, **Imagine**, **Québec Français**, des couvertures de livres pour Le Préambule, Pierre Tisseyre, Mediaspaul ou Coïncidence-Jeunesse, sans parler de son propre fanzine **Blanc Citron**. Il est, ces dernières années. plus affairé à s'occuper de quelques sites Internet dont son plus connu, www.clubdesmonstres.com, plein de renseignements pour l'amateur de cinéma culte.

Le Cabinet de curiosités, ou l'émerveillement du monde

Mario TESSIER

Suzanne Morel

> *Dans l'ordre de nos besoins et des objets de nos passions,*
> *le plaisir tient une de nos premières places,*
> *et la curiosité est un besoin pour qui sait penser,*
> Jean le Rond d'Alembert,
> **Discours préliminaire à l'Encyclopédie** (1751)

Bien que nous vivions au XXIe siècle – à une époque qui paraissait au siècle dernier comme le futur – nous demeurons à des degrés divers des créatures du passé. Un de mes amis possède le caractère d'un (faux-)dévot du XVIIe siècle, et le reconnaît volontiers. D'autres montrent les qualités propres aux cyniques postmodernes ou se conduisent comme de nouveaux victoriens. Quant à moi, et malgré mon intérêt pour toutes les choses science-fictionnelles de l'avenir, je ne peux m'empêcher de démontrer la sensibilité d'un homme du XVIIIe siècle : j'affectionne la musique baroque, je préfère la peinture des paysagistes comme Lantara et Friedrich, je crois encore aux notions démodées de raison, de progrès et de tolérance, et, par-dessus tout, j'aime les sciences naturelles. Cette passion pour la Nature m'a poussé à adopter une des créations de la Renaissance, qui s'est épanouie en Europe entre l'ère des grandes découvertes maritimes et le siècle des Lumières : le cabinet de curiosités.

La chambre des merveilles

Le cabinet de curiosités – aussi appelé *wunderkammer*, ou chambre des merveilles, en allemand, et *studiolo*, en italien – était un lieu où on entreposait et exposait des objets collectionnés, avec un certain goût pour l'hétéroclisme et l'inédit. On y mélangeait dans un savant désordre une multitude d'artefacts rares ou étranges représentant les trois règnes naturels (minéral, végétal et animal) ainsi que des réalisations humaines. Par exemple, on pouvait retrouver dans ces chambres de merveilles des animaux empaillés, des insectes séchés, des bijoux, des squelettes, des médailles, des minéraux, des œuvres d'art, des herbiers, des cartes, etc.

Apparus à la Renaissance, les cabinets de curiosités sont les ancêtres des musées modernes. Ils ont joué un rôle fondamental dans l'essor de la science moderne en rassemblant les collections nécessaires à l'établissement des classifications et des nomenclatures scientifiques et en faisant connaître ces trouvailles. L'édition de catalogues qui en dressaient l'inventaire, souvent illustrés, permettait d'en diffuser le contenu auprès des savants de toute l'Europe ; un des meilleurs exemples de ces ouvrages est celui de Pierre Borel,

Les Antiquitez, raretez… & autres choses considérables de la ville, & comté de Castres (1649)[1].

Toutefois, on y retrouva longtemps des dimensions fantaisistes car on incluait souvent dans ces cabinets des objets relatifs aux croyances populaires de l'époque ; par exemple, on y conservait de putatifs squelettes d'animaux mythiques tels que des écailles de dragon, dents de géant, plumes de basilic, sans compter les faux fossiles et mystifications diverses.

Rabelais se moque d'ailleurs de cette manie dans son **Quart Livre** (1552), où Pantagruel écrit à son père Gargantua :

Je vous envoie également trois jeunes licornes, plus familières et apprivoisées que ne le seraient de petits châtons […] Elles ne paissent pas sur le sol, car la longue corne qu'elle porte au front les en empêche. Elles doivent prendre leur nourriture aux arbres fruitiers, ou dans des rateliers spéciaux, ou dans la main […] Je vous assure que toutes les nouveautés en animaux, plantes, oiseaux et pierreries que je pourrai trouver et acquérir au cours de notre voyage, je vous les porterai toutes, **Œuvres complètes**, Paris, Le Seuil, p. 593.

Le cabinet de curiosités deviendra le microcosme de ce monde moderne, qui naît sous l'impulsion d'une communauté croissante d'explorateurs, d'innovateurs et de savants européens. Pour son propriétaire, le cabinet est une manière de résumer en un lieu unique les connaissances scientifiques et historiques de son époque sous la forme d'artefacts singuliers. C'est un véritable « théâtre du monde » en miniature. La culture de la curiosité devient ainsi un trait essentiel de la nouvelle sensibilité européenne, qui différencie la civilisation moderne du monde médiéval : une soif de connaissances devant l'univers, devant l'ensemble des phénomènes visibles du monde, qu'ils soient créés par Dieu ou par l'homme. Le cabinet de merveilles sera le refuge par excellence de l'homme de la Renaissance, de celui qui veut s'accomplir comme polymathe, à l'image de Léonard de Vinci ou d'Athanasius Kircher.

Histoire de cabinets

> *La science est du savoir organisé*,
> Herbert Spencer

La passion de la collection, surtout pour les choses mystérieuses et surprenantes que l'on trouve dans la nature, n'est pas nouvelle.

Suétone (mort en 122 ap. J.-C.) rapportait que l'empereur Auguste avait décoré ses demeures non seulement avec des statues et des peintures mais aussi avec des objets insolites en raison de leur âge et de leur rareté.

Avec le développement des explorations maritimes, et la multiplication des échanges commerciaux au XVIe siècle, de nombreux nobles, savants, et riches amateurs de cette époque se mettent à collectionner les curiosités en provenance des nouveaux mondes. Ces collections privées peuvent être motivées par plusieurs facteurs, allant de la simple curiosité intellectuelle au désir d'étaler sa richesse et son érudition.

Au XVIIe siècle, la science naissante s'efforce de comprendre le monde naturel en répertoriant les affinités entre ses diverses manifestations. Une variété de théories et d'hypothèses tente d'expliquer l'univers et les artefacts qui le constituent. Umberto Eco, dans son roman **L'Île du jour d'avant** (Paris, Grasset, c1994, 1996, 461 p.), offre un regard fascinant sur cette période floue entre les débuts de la réflexion scientifique et les grands systèmes de connaissances qui verront le jour aux siècles suivants. On mélange observations de la nature et philosophie, théologie et humanités, physique expéri-

mentale et occultisme. Eco en profite pour décrire un cabinet de curiosités se trouvant sur un navire parti explorer le Nouveau Monde :

> Il vit des peaux de lézards séchés au soleil, des noyaux de fruits à l'identité perdue, des pierres de couleur variée, des galets polis par la mer, des fragments de corail, des insectes percés d'une épingle sur une planchette, une mouche et une araignée dans un morceau d'ambre, un caméléon tout sec, des récipients de verre pleins de liquide où flottaient des serpenteaux ou des petites anguilles, des arêtes énormes, qu'il crut de baleine, l'épée qui devait orner le museau d'un poisson et une longue corne, qui, pour Roberto, était de licorne, mais je pense que c'était celle d'un narval. (p. 209).

Jusqu'au Grand Siècle, les hommes partagent encore une représentation magique et divine du monde. La Nature montre des signes du merveilleux – tels ces monstres nés de l'imagination humaine, mais inspirés d'observations dans des contrées lointaines, ou l'apparition de ces comètes dont on ignore la cause – qui sont interprétés comme la preuve de l'existence de Dieu. (Pour les théologiens médiévaux, Dieu s'était manifesté par deux Livres : celui de la Bible et celui de la Nature.) D'autre part, les discours de la sympathie, qui affirmaient la conviction d'une correspondance entre les états de la nature et les états de l'homme, gouvernent la pensée de l'époque classique. On retrouve ce concept de sympathie dans les éléments et la disposition du cabinet de curiosité. Par exemple, les objets étaient souvent regroupés en fonction de leur forme ou de leur couleur plutôt que de leur nature.

Le but du cabinet consiste alors dans un projet encyclopédique, destiné à comprendre l'univers à travers toute sa diversité et sa bizarrerie, en créant un microcosme de l'étrange, d'où cette obsession pour les objets saugrenus et exotiques.

Au siècle suivant, le cabinet perd son aspect hétéroclite et inédit pour privilégier la rationalité des collections et pour en abstraire les correspondances scientifiques. Le cabinet devient alors un objet pédagogique, « un abrégé de la nature entière » selon l'expression de Diderot et D'Alembert dans leur **Encyclopédie**. (Ce « Dictionnaire raisonné des sciences, des arts et des métiers » est d'ailleurs une autre manifestation du grand dessein intellectuel animant les esprits européens du temps.)

Dans la France des Lumières, la culture de la curiosité deviendra non seulement un phénomène de mode mais également un jeu social et intellectuel. Paris verra ainsi l'apparition de nombreux « cabinetiers », ainsi que leurs équivalents féminins, à l'exemple des salons littéraires. Il y aura des cabinets d'amateurs, servant surtout à agrandir le renom et la réputation de leur propriétaire, constitués principalement pour la parade et le spectacle des visiteurs, mais fonctionnant tout de même comme de véritables écoles de plaisirs intellectuels et éducatifs. On baptise alors son musée personnel de noms rappelant la nature de ces cabinets : Rarothèque, Ciméliothèque (appellation issue de « ciméliarque », qui désignait le gardien du trésor d'une église), Thesaurus fossilium... Évidemment, nous retrouverons aussi des cabinets de savants, servant aux recherches scientifiques et expérimentales, et évoluant dans un contexte de progrès et d'instruction publique.

Le cabinet de curiosités s'éteindra progressivement dans la première moitié du XIXe siècle, remplacé par les musées relevant des institutions officielles et des collections privées. Par le biais de ventes et de donations testamentaires, les cabinets de curiosité sont souvent devenus le noyau de plusieurs grands musées européens, comme ceux du Louvres, de Berlin et du Vatican. L'esprit du temps n'était plus à la découverte mais à la classification systématique des connaissances amassées.

Alors que le cabinet de curiosités se meurt, l'esprit des merveilles et la soif de l'insolite qui sont à sa source se réfugieront

ENCADRÉ 1
Créez votre propre cabinet de curiosités

Depuis quelques années, l'esprit de l'ancien cabinet de curiosités est devenu la grande tendance européenne dans le domaine de la décoration. En effet, plusieurs ouvrages remettent au goût du jour l'idée des collections d'objets curieux afin d'aménager des scènes surprenantes dans sa demeure. Cette ré-interprétation de l'idée antique de la chambre des merveilles exploite le côté hétéroclite des objets insolites afin de privilégier l'aspect du spectacle et de la scénographie d'un microcosme personnel.

On peut organiser son cabinet de curiosités de plusieurs manières, par exemple, en privilégiant une catégorie dans la nature des objets collectionnés :

- artificialia : qui regroupe les objets créés ou modifiés par l'homme (antiquités, œuvres d'art) ;
- naturalia : qui comprend les créatures, fossiles, et objets naturels, avec un intérêt particulier pour les monstres et les items hors-normes ;
- exotica : qui rassemble les plantes et animaux exotiques ;
- scientifica : qui associe les instruments scientifiques, anciens ou modernes.

Les types d'arrangement peuvent également s'inspirer des grandes périodes du cabinet de curiosités. Ainsi, le *wunderkammer* de la première époque – de 1550 à 1650 – était d'une incroyable diversité dans son contenu et était présenté de manière chaotique, du moins à nos yeux. Les schémas de classification n'existaient pas encore et l'on préférait montrer les objets sous des considérations arbitraires : les objets ronds étaient classés ensemble comme les noix de coco et les œufs géants, les objets longiformes comme les défenses d'ivoire gravées étaient placés aux côtés des os fossilisés et des bélemnites, etc. Les petits objets étaient souvent conservés dans des meubles à tiroirs tandis que les plus gros pendaient sur les murs ou au plafond. La seconde époque du *wunderkammer* – de 1650 à 1780 – fut plus systématique et rassembla ses collections en se servant des classifications linnéennes et des taxonomies scientifiques. Les objets n'étaient plus enfermés dans des tiroirs mais plutôt montrés dans des compartiments vitrés. On pouvait ainsi observer l'entièreté de la collection d'un seul coup d'œil.

Notons que le statut noble de certains collectionneurs les poussait à inclure des notions de gouvernance dans la disposition de leur chambre des merveilles. Les collectionneurs d'aujourd'hui, bien qu'ils soient rarement princiers, sont invités, eux aussi, à offrir une représentation métaphysique du monde qui reflète leur passion et donne sens à leur collection.

Trois règles de base régissent la mise sur pied de votre cabinet de curiosités. D'abord, ayez des intérêts diversifiés dans la création de vos collections. Le *wunderkammer* étant une invention de l'homme de la Renaissance, il importe de faire de votre collection un microcosme du monde, symbolisant la totalité des connaissances que vous voulez mettre de l'avant. Deuxièmement, usez de symétrie dans la disposition des objets de votre cabinet de curiosités pour obtenir une apparence esthétique. Et finalement, stimulez la magie du spectacle en juxtaposant des objets hétéroclites afin d'obtenir un effet dramatique.

À lire :

Christine Davenne, **Cabinets de Curiosités : La Passion de la collection**, Paris, La Martinière (Hors collection), 2011, 224 p.

Edith Garrault, **Collections : Mes cabinets de curiosité**, Paris, Le Temps Apprivoisé (Mes petits bonheurs), 2011, 64 p.

Patrick Mauriès, **Cabinets de curiosités**, Paris, Gallimard (Livres d'art), 2011, 260 p.

Emmanuel Pierrat, **Les Nouveaux Cabinets de curiosités**, Paris, Les Beaux Jours, 2011, 192 p.

dans la littérature fantastique. Celle-ci verra alors se multiplier les laboratoires – incarnations modernes des anciens cabinets d'étude – qui se peupleront de monstres (pensons à Frankenstein, cette chimère née de dépouilles diverses) et d'inventions bizarres (par exemple, les automates infernaux qui envahissent les fictions du milieu du siècle).

Le cabinet de curiosités naturelles et artificielles de Montréal

La culture de la curiosité imprégnera aussi le Québec. En effet, le début du XIXe siècle voit l'apparition d'un public citadin et instruit qui réclame journaux, bibliothèques et sociétés culturelles. Dès 1820, plusieurs cercles culturels se développent à Québec et Montréal. On y retrouve le même esprit encyclopédique qui enflammait l'Europe des Lumières.

Le premier cabinet de curiosités public sera mis sur pied en 1824 par l'aubergiste italien Tomasso Delvechio[2]. Sous le nom de Musée italien, il sera installé dans l'établissement hôtelier que tient Delvechio sur la place du Vieux-Marché à Montréal. Composé de curiosités naturelles et artificielles, il comportait environ 130 objets, tels que mécanismes, statues de cire, artefacts amérindiens, et animaux divers. Notons que la conception du cabinet de curiosités de Delvechio tient autant de la tradition du *studiolo* italien que de la notion de curiosité-spectacle qui anime les expositions itinérantes américaines se multipliant dans le Bas-Canada et en Nouvelle-Angleterre à cette époque. Les Américains avaient leur propre idée du cabinet de curiosités, dont ils avaient rapidement saisi l'intérêt commercial ! Les loisirs collectifs seront de plus en plus dominés par cette mode américaine de curiosité-spectacle, où l'on joignait récréation et éducation – ou ce qui passait pour telle à l'époque.

Toutefois, la dichotomie grandissante entre les aspects didactiques et ludiques des cabinets de merveilles provoquera la disparition de ces derniers au profit respectif des musées scientifiques et des spectacles de foire. Ainsi, la collection de la Société d'histoire naturelle de Montréal, fondée en 1827, hésitera elle aussi entre curiosités et spécimens d'histoire naturelle. Mais, vers le milieu du siècle, elle deviendra un musée exclusivement voué à l'accumulation de connaissances savantes. D'autre part, les expositions itinérantes américaines évolueront pour donner naissance, dans la seconde moitié du XIXe siècle, aux Chautauqua – sortes de conférences/performances – ainsi qu'aux cirques ambulants, dont le plus célèbre fut celui de Barnum & Bailey.

National History Society Museum, University at Cathcart Streets, Montreal, QC
Photograph, about 1900 (c) McCord Museum, MP-0000.113.8

(La répartition des types d'exposition nous apprend que les publics des villes de Québec et de Montréal ne partagent pas les mêmes intérêts. Québec est considérée comme une ville sérieuse, tandis que Montréal est une ville curieuse, préférant les expositions plus populaires[3] ! Après deux siècles d'histoire et d'évolution culturelle, les choses ont-elles vraiment changé ?)

Il est intéressant de remarquer que, par un ironique retour des choses, nos musées d'aujourd'hui ont choisi de mettre la pédale douce sur l'aspect didactique de leurs collections pour exploiter l'angle du divertissement. Cette révision récente des politiques muséales vise à transformer ces équipements scientifiques et archives de nos connaissances en nouveaux cabinets de curiosités, destinés à un public rechignant devant la science, intéressé uniquement par ses avatars les plus surprenants ou attrayants...

Curiosités artistiques et *kunstkammer*

Si le retour à la notion de cabinet de curiosités influence divers aspects de la culture, il a également marqué de sa griffe le monde de l'art contemporain.

En effet, le cabinet de curiosités est utilisé par nombre d'artistes pour examiner l'esthétisme découlant des rassemblements d'objets[4]. Considéré comme le paradigme de la collection, certains s'en sont servis comme sujet ou comme dispositif de présentation. Par exemple, un surréaliste comme Marcel Duchamp réalisa *La Boîte-en-valise* (1941), une sorte de musée portatif.

Plusieurs œuvres se présentent d'ailleurs sous la forme de collections miniatures et de musées fictifs, mettant de l'avant des systèmes d'organisation inédits ou utilisant les traditionnelles vitrines de conservation. C'est le cas, notamment, des collages de fragments d'objets de Joseph Cornell (1903-1972), qu'il faisait tenir dans de petites boîtes. Les boîtes de Cornell ont inspiré une série d'imitateurs qui reproduisent ainsi de minuscules cabinets de merveilles.

Thomas Grunfield (1956-) reprend l'imaginaire associé aux chimères et aux animaux imaginaires qui peuplaient les premiers cabinets de curiosité pour recréer ce type de contrefaçons fabuleuses dans sa série des *Misfits* (1992). Les œuvres sont constituées de six animaux composites, naturalisés, sous vitrines (bois et verre) éclairées.

Chez nous, quelques artistes québécois se servent, eux aussi, de la pratique des *wunderkammers*. Ainsi, Jérôme Fortin, né à Joliette en 1971, construit des sculptures-installations, à partir de matériaux anodins, tels que bouchons de liège, bouteilles de plastique, livres, allumettes, clous et boîtes de conserve, pour assembler des collections de curiosités visuelles et plastiques, mises sous vitrines. Mentionnons également l'œuvre de l'artiste pluridisciplinaire Claudie Gagnon (1964-), qui réalise des étalements prodigieux d'objets relevant du registre du merveilleux; par exemple avec son *Banquet* (2013) de denrées comestibles. Ses installations se composent souvent d'accumulations d'objets domestiques.

Notons que le *wunderkammer* est associé dans le temps au *kunstkammer* (chambre des arts), une invention allemande qui compilait des collections, non pas de curiosités naturelles, mais plutôt de merveilles artistiques. Si les deux termes sont parfois considérés comme synonymes, les spécialistes préfèrent cependant établir la distinction. Les œuvres artistiques contemporaines inspirées des cabinets de curiosités peuvent peut-être se réclamer des *kunstkammers* d'antan.

L'étrange, l'inédit, le surprenant, l'exotique, l'insolite, le bizarre…

> *Moi, j'ai dit bizarre, comme c'est bizarre !*
> Louis Jouvet dans **Drôle de drame** (1937)

Une des caractéristiques du cabinet de curiosités consiste dans sa propension à collectionner des objets inhabituels et hétéroclites, qui n'entrent pas dans le cadre des classifications habituelles et normatives auxquelles nous sommes habitués.

Si cet aspect du *wunderkammer* correspond d'abord à la sensibilité baroque des XVIIe et XVIIIe siècles, elle ne nous est pas étrangère. Nous voyons d'ailleurs une résurgence de l'intérêt pour les cabinets de curiosités dans le domaine de la décoration intérieure (voir Encadré 1).

Le cabinet de merveilles exalte la beauté de l'objet matériel et l'opulence de la Nature. En ce sens, le cabinetier rappelle le protagoniste du film australien **Man of Flowers** (1983) de Paul Cox, qui s'entoure de choses pleines de beauté : fleurs, peintures, gemmes, etc. Certes, le collectionneur s'intéresse à l'aspect esthétique des formes et des couleurs de ses curiosités mais il privilégie d'abord leur caractère insolite. Par exemple, il recherche surtout des items ayant des connotations légendaires, notamment s'ils sont cités chez les auteurs anciens ou dans la Bible, ou s'ils sont affublés de propriétés extraordinaires, comme la poudre de corne de licorne. Il convoite aussi les objets qui proviennent de contrées lointaines ou d'époques disparues, comme des antiquités telles que momies égyptiennes et monnaies anciennes, ou des artefacts exotiques tels que totems amérindiens et soie de Chine. Les curiosités qui balisent les points de passage entre un règne et un autre sont également désirés, d'où une certaine fascination pour les items ambigus comme le corail, dont on ignorait s'il appartenait au domaine animal, végétal ou minéral. En examinant les vestiges matériels de ces phénomènes transitoires, on espère ainsi saisir le processus secret de la Création.

ENCADRÉ 2

Mon cabinet de curiosités

Que ne ferait-on pas dans l'espoir d'une idée!
Jean-Henri Fabre, **Souvenirs entomologiques**

Mon *wunderkammer*, similaire à nul autre, reflète d'abord mes intérêts et n'a de valeur qu'à mes yeux. L'inventaire que je dresse ici est partiel et partial. Je ne l'offre à vos yeux qu'à titre indicatif, dans l'espoir qu'il vous incitera à mettre sur pied votre propre *studiolo* :

- des monnaies anciennes (grecques, romaines, perses et modernes) : un poulain corinthien du Ve siècle av. J.-C., quelques oboles et chalques de cités grecques, plusieurs pièces de l'époque d'Alexandre le Grand, une belle pièce de l'empereur Probus, une médaille de la Monnaie de Paris... ;
- des fossiles : plusieurs trilobites et ammonites du Dévonien et du Silurien, des plantes du Carbonifère, un diplomystus dentatus – un poisson denté – de l'Éocène, une fougère fossilisée, du bois pétrifié, une dent de Megalodon (requin fossile datant de vingt millions d'années)... ;
- divers instruments scientifiques anciens : ma vieille règle à calcul, un fac-similé (vraiment bon marché) d'un astrolabe médiéval, deux reproductions de globes célestes de la Renaissance, un paquet de cartes perforées en Fortran dont je me suis servi à l'époque des ordinateurs centraux, tels que IBM 360 et des PDP-8... ;
- des météorites : une tectite, une chondrite pierreuse, une météorite de fer-nickel tombée en Russie en 1947... ;
- des minéraux et gemmes : du cristal de sel des mines de Wieliczka, de la calcite, du cristal de quartz, de la fluorite, de la malachite verte... ;
- souvenirs de voyage : du sable des plages de Tunis, des dentelles de Bruges, des médailles du Vatican... ;
- diverses plantes desséchées, rassemblées dans un herbier ;
- des coquillages divers et du corail pétrifié ;
- quelques papillons et lépidoptères séchés et épinglés ;
- trois copies miniatures de statues antiques ;
- une pointe de silex ;
- etc.

Tout cela est logé dans une armoire vitrée où l'on peut ranger livres et objets. Ces diverses choses n'ont qu'une valeur monétaire fort modique et sont plus communes que rares. Mais elles sont le départ de réflexions dont le *daimon* de l'écrivain pourra s'alimenter. (Par exemple, mes trilobites fossiles m'ont inspiré la nouvelle « Le Regard du trilobite », parue dans **Solaris** 159.) Tout comme la madeleine de Proust, le cabinet de curiosité pousse à la rêverie. La combinaison hétéroclite de ces collections d'objets naturels et d'artefacts culturels peut provoquer d'innombrables idées, autant scientifiques qu'artistiques. Plus qu'un mémorial, c'est un rappel des richesses de la Nature et des trésors de la Culture.

Le collectionneur de cabinet ne cherche pas à répertorier la totalité du monde comme les encyclopédistes des Lumières ; la chambre des merveilles est l'inverse de l'Aleph de Borges, avatar de l'infini, c'est plutôt un labyrinthe organisé selon un savant désordre, et dont les items représentent des signes visibles de la plénitude du macrocosme. Ces « sémiophores » renvoient à la réalité cachée du monde. Grâce au mystérieux ressort de la sympathie universelle, le cabinetier cherche à pénétrer les secrets intimes de la Nature par le biais de ses épiphénomènes les plus étranges et surprenants.

Citons finalement l'ouvrage d'Umberto Eco, **Vertige de la liste** (Paris, Flammarion, 2009, 408 p.), qui traduit en littérature l'intérêt des cabinets de curiosité pour les collections dépareillées d'objets insolites. Il explique ainsi la supériorité de la liste désordonnée de la Renaissance sur les inventaires des musées modernes :

> *Dans ces listes, l'absence d'esprit systéma-tique témoigne de l'effort de l'encyclopédiste pour échapper à une classification aride [...] Cette accumulation encore désordonnée (ou à peine ordonnée [...]) permettra ensuite la découverte de relations inattendues entre les objets du savoir. Le fatras est le prix à payer, non pour atteindre la complétude, mais pour éviter la pauvreté de toute classi-fication arborescente.* (p. 237)

Eco cite plus loin un texte écrit par Valéry en 1923, « Le problème des musées », où déjà ce sentiment se fait jour : « notre héritage est écrasant. L'homme moderne, comme il est exténué par l'énormité de ses moyens techniques, est appauvri par l'excès même de ses richesses. [...] Un capital excessif et donc inutilisable. » (p. 169)

Le cabinet de merveilles est un musée qui n'est pas encore sous l'emprise de collections massives, d'inventaires sans fin, et d'une science ayant classifié tous les phénomènes, ayant pénétré tous les secrets. Il reflète le moment d'une civilisation où l'accumulation des choses n'a pas encore triomphé de l'invention humaine et de l'étrangeté fondamentale de l'univers. Il célèbre également la puis-sance de l'épiphanie, du sentiment qui nous surprend lorsque nous établissons des rapports entre des faits éloignés.

Le blogue comme cabinet de curiosités

Si le cabinet de curiosités repose sur la matérialité de l'objet, son principe peut être appliqué virtuellement à l'Internet. En effet, les blogues contemporains peuvent être assimilés à de modernes cabinets de curiosités. Ces sites Web sont liés à l'appétit de connaissances de leur propriétaire, où ces derniers rédigent des billets sur des thématiques qui les intéressent. Assez souvent, les blogues nous entretiennent d'items insolites ou surprenants que l'on trouve sur la Toile. Des sites comme Boing Boing (www.boingboing.net/), dont le sous-titre est « un répertoire de choses merveilleuses », Laughing Squid (www.laughingsquid.com/), Bldg Blog (bldgblog.blogspot.com/), ou BibliOdyssey (bibliodyssey.blogspot.com/) nous offrent des vidéos d'événements curieux ou des images d'artefacts inédits.

Alors que la démocratisation de la Toile dans les années 1990 tournait autour des sites académiques, les années 2000 ont vu la croissance des blogues personnels. Maintenant, tous et chacun peuvent disposer d'un cabinet virtuel de curiosités en rediffusant leurs découvertes et trouvailles à la face du monde entier.

Il n'est peut-être pas étonnant de constater que, tout comme dans l'évolution des cabinets de curiosités de particuliers en musées institutionnels, les sites Web ont vu se répandre le système encyclopédique des Wiki. Ces Wiki (qui signifie « rapide » en Hawaïen), souvent connectés à des blogues, servent à échanger de l'information entre usagers. Ils permettent d'expliquer des expressions, de formaliser certains sujets, ou d'indiquer l'historique des échanges. Comme quoi l'histoire des idées continue à se répéter à travers l'émergence de technologies similaires.

Prendre ses aises au cabinet

Pour bien des gens, le cabinet de curiosités ressemble énormément aux boîtes à jouets enfantines, contenant billes, figurines, pièces de monnaies, etc. Peut-être ne sont-ils pas si loin de la vérité. Car ce qui est un trésor pour l'un n'est que camelote pour l'autre. Et ce qui fascine l'enfant n'engendre chez l'adulte blasé que commentaires cyniques. Les contenus des cabinets de merveilles ne sont-ils rien d'autre que les décombres sans valeur de collectionneurs légèrement dérangés ? Pourtant, plusieurs hommes de lettres nous ont laissé des œuvres témoignant de la générosité de la Nature ; ne citons que **Chasses subtiles** d'Ernst Junger (1967) et les dix tomes des **Souvenirs entomologiques** de Jean-

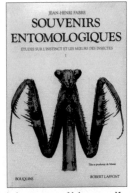

Henri Fabre (1879-1907). Rien n'est plus précieux que l'émerveillement devant la complexité de l'univers et l'extraordinaire variété et beauté de ses phénomènes.

Le vieux Dictionnaire de l'Académie française définit le cabinet comme un « lieu de retraite pour travailler, ou converser en particulier, ou pour serrer des papiers, des livres, pour mettre des tableaux, ou quelqu'autre chose de précieux. » Aujourd'hui, mes voyages se sont espacés et je suis devenu sédentaire, plus par nécessité que par goût. Mais, doté d'une grande bibliothèque et d'un cabinet de curiosités (voir ENCADRÉ 2), je reste fondamentalement un homme qui aime l'étude et qui appréhende l'univers à travers ses diverses incarnations.

Je dois cependant me rendre à l'évidence. Je suis devenu un homme de cabinet.

Mario TESSIER

Notes

1. L'ouvrage est disponible en ligne à : archive.org/details/lesantiquitezra00 boregoog.

2. Hervé Gagnon, « Du cabinet de curiosités au musée scientifique. Le musée italien et la genèse des musées à Montréal dans la première moitié du XIXᵉ siècle », dans **Revue d'histoire de l'Amérique française**, hiver 1992, 45(3):415–430. Disponible à : www.erudit.org/revue/haf/1992/v45/n3/ 304993ar.pdf. Vous pouvez également consulter l'article de Raymond Duchesne et Paul Carle : « L'ordre des choses : cabinets et musées d'histoire naturelle au Québec (1824-1900) », dans **Revue d'histoire de l'Amérique française**, été 1990, 44(1) : 3–30. Également disponible en ligne.

3. Hervé Gagnon, « Des animaux, des hommes et des choses : Les expositions au Bas-Canada dans la première moitié du XIXᵉ siècle », dans **Histoire sociale**, novembre 1993, 26(52) : 291–327. Disponible à : pi.library.yorku.ca/ ojs/index.php/hssh/article/download/16515/15374.

4. Julie Bélisle, « Du merveilleux, de l'insolite, de la contemplation : la résurgence de l'intérêt pour le cabinet de curiosités », dans **Etc**, 2009, 86 : 14-19.

Bibliographie

Christine Davenne, **Modernité du cabinet de curiosités**, Paris, L'Harmattan (Histoire et idées des arts), 2004, 300 p.

Etc, Spécial « Cabinets de curiosités », n° 86, juin-juillet-août 2009, p. 4-65. Disponible à www.erudit.org/culture/etc1073425/etc1136971/index.html.

Patricia Falguières, **Les Chambres des merveilles**, Paris, Bayard (Le Rayon des curiosités), 2003, 140 p.

Frank Lestringant et al., **Le Théâtre de la curiosité**, Paris, Presses Universitaires de Paris-Sorbonne, 2008, 216 p.

Adalgisa Lugli, **Naturalia et Mirabilia : les cabinets de curiosités en Europe**, Paris, Adam Biro, 1998, c1983, 267 p.

Pierre Martin et al., **Curiosité et cabinets de curiosités**, Neuilly, Atlande (Divers), 2004, 202 p.

Antoine Schnapper, **Le Géant, la licorne et la tulipe : les cabinets de curiosités en France du XVIIe siècle**, 2e édition revue et augmentée, Paris, Flammarion (Champs Arts), 2012, 768 p.

Albertus Seba, **Le Cabinet des curiosités naturelles**, Berlin, Taschen, 2009, 416 p.

Webographie

Cabinets de curiosités : pages.infinit.net/cabinet/

Cabinet magazine : www.cabinetmagazine.org/

Curiositas : les cabinets de curiosités en Europe : curiositas.org/

Idols of the Cave : idolsofthecave.com/

Télévision

Le canal Explora offre une série intitulée **Cabinet de curiosités** (titre original : **Oddities**) où l'on suit les activités quotidiennes d'une boutique new-yorkaise spécialisée dans les objets bizarres ou uniques. Cinq saisons ont déjà été tournées depuis 2010 (www.sciencechannel.com/tv-shows/oddities). Il s'agit d'une version inspirée des documentaires/téléréalités existantes comme **Pawn Stars**, **La Fièvre des encans** et **Cash Cowboys**. Ce genre d'émissions glorifie l'artefact rare au contraire du produit de consommation de masse. Ce qui n'empêche pas la boutique de curiosités de vendre des reproductions en plastique de crânes humains dans des boules à neige…

Spectacle

Kurios – Cirque du Soleil : www.cirquedusoleil.com/

Du 24 avril au 10 août 2014 à Montréal et Québec. Spectacle – très librement – inspiré par la culture de la curiosité et le steampunk, réinterprété par les artistes et acrobates du Cirque du Soleil.

Mario Tessier est bibliothécaire-conseil. Il a écrit dans des revues scientifiques (**Astronomie-Québec**, **Québec-Science**). C'est aussi un invité régulier de **Solaris** où il a publié, outre ses articles, plusieurs fictions remarquées, comme « Du clonage considéré comme un des beaux-arts », Prix Solaris 2003 (n° 146), « Poussière de diamant » (n° 151), « Grains de silice » (n° 170), « Le Docteur Épouvante entre le Marteau et L'Enclume » (n° 178), une nouvelle parodique sur les superhéros, etc.

L'Opéra de Shaya
de Sylvie Lainé
en librairie le 17 avril

Christian SAUVÉ

Comédies romantiques todoroviennes

Tzvetan Todorov est un académicien européen qui a (entre autres choses) beaucoup écrit sur le fantastique et, en particulier, sur le moment où, dans la fiction, la réalité consensuelle est évincée pour l'intrusion d'un fantastique que rien ne peut expliquer. Mais, si sa théorie est difficile à résumer en quelques lignes, cela n'a pas empêché certains critiques d'adopter l'adjectif « todorovien » pour discuter de textes fantastiques qui permettent cependant des interprétations aussi rationnelles que surnaturelles.

Heureux hasard : voici deux comédies romantiques à petit budget qui, à leur manière, jouent de cette ambiguïté. Peut-être pas assez longtemps, peut-être trop, mais avec une approche tellement terre à terre qu'elles peuvent être perçues comme des œuvres semi-réalistes.

Commençons donc par **Ruby Sparks [Elle s'appelle Ruby]**, une fantaisie sentimentale qui sera d'un vif intérêt pour les auteurs de fiction qui lisent cette chronique. Le tout commence à Los Angeles, alors qu'un jeune romancier célibataire souffrant du syndrome de la page blanche cherche le moyen de retrouver l'inspiration. Suite à une suggestion de son thérapeute, il se prête à un simple exercice d'écriture et se met à décrire sur papier sa partenaire romantique idéale. Nul n'est plus surpris qui lui lorsque sa création, Ruby Sparks, se manifeste en chair et en os. Doutant de sa santé mentale pendant un interlude tout à fait todorovien, il se livre à quelques tests qui confirment l'existence de Ruby : elle existe, peut interagir avec de tierces personnes, et sa nature est malléable de par le manuscrit que le romancier conserve dans sa dactylo.

On devinera que des complications s'ensuivent : par exemple, Ruby s'avère si charmante qu'elle porte ombrage au protagoniste. Et, alors qu'elle s'affranchit et commence à se distancier, il modifie le manuscrit pour qu'elle redevienne dépendante. Mais cette dépendance la rend malheureuse, alors il change le manuscrit pour qu'elle soit heureuse à nouveau. Lorsque ce changement d'humeur inexplicable la désoriente, il tente de changer les choses... et ainsi de suite jusqu'à ce que la vérité éclate : Ruby découvre sa nature fictionnelle et les deux partenaires s'affrontent dans une scène intense où l'écriture devient instrument d'horreur existentielle. Bref, de quoi incarner les cauchemars et fantasmes pour nombre de lecteurs/auteurs de **Solaris**.

Mais on devinera que, comme façon d'explorer des enjeux thématiques universels, la prémisse fantastique de **Ruby Sparks** est nettement plus profonde qu'un simple prétexte à une simple comédie romantique. Les soubresauts émotionnels du protagoniste devant sa partenaire idéale donnent lieu à l'exploration des angoisses masculines au sujet des relations amoureuses. Les résonances avec Pygmalion auront également de quoi plaire à ceux qui possèdent un peu de culture classique, et la poussée vers l'horreur existentielle aura de quoi couper le souffle à ceux qui s'attendaient à une comédie romantique sans aucun défi ni originalité.

Ceci dit, ne nions pas pour autant le charme du film. Réalisé par Jonathan Dayton et Valerie Faris – le même couple qui avait livré **Little Miss Sunshine** –, scénarisé par Zoe Kazan (qui incarne également le personnage de Ruby avec une énergie pétillante) et mettant en vedette Paul Dano, le film s'avère à la fois intimiste et sympathique. Dano, en particulier, réussit à incarner un personnage complexe, aussi agaçant qu'attachant. Et le film est d'autant plus fascinant quand on sait que Dano et Kazan forment un couple dans la vraie vie. **Ruby Sparks** brasse de grandes idées avec de petites cuillères et l'absence d'effets spéciaux ne change en rien la nature inéluctablement fantastique du film. Film d'imaginaire réussi, **Ruby Sparks** ne joue pas trop longtemps avec l'incertitude todorovienne et c'est très bien ainsi… car c'est l'élément fantastique qui permet au film de trouver sa pleine efficacité thématique.

On ne sera pas tout aussi enthousiaste au sujet de **Safety Not Guaranteed** [v.o.a.], un film dont l'ambiguïté todorovienne maintenue jusqu'à la fin finit par décevoir. On se retrouve ici pas très loin de Seattle, où une jeune journaliste-en-herbe œuvrant comme assistante dans un périodique alternatif se voit assignée à un dossier inusité : quelqu'un a rédigé une annonce classée disant chercher un partenaire pour voyager dans le temps, et le journal cherche à savoir quel hurluberlu ferait une chose pareille. Isolée dans une petite ville en compagnie de deux collègues (qui ont leurs propres obsessions personnelles), notre héroïne est malgré elle captivée par l'excentrique auteur de l'annonce, et s'embarque volontiers dans une relation qui dépasse largement le domaine journalistique.

Safety Not Guaranteed est essentiellement une comédie romantique entre deux jeunes gens isolés. Si le film tarde à dévoiler si on nage ici en pleine science-fiction ou non, la tension de savoir si le film échappe à la réalité est quasiment inexistante. Par ailleurs, **Safety Not Guaranteed** n'en dira pas plus dès lors que la question sera résolue, ce qui aura de quoi en frustrer certains. C'est la romance qui domine le propos du film, pas de savoir s'ils parviendront à changer le cours de l'histoire.

Reste donc à évaluer le film selon les critères d'une comédie romantique. Ici aussi, on sera seulement à demi-satisfait. Car si

Audrey Plaza est d'un charme à la fois absolu et inhabituel comme
héroïne, Marc Duplass n'est clairement pas aussi efficace comme
co-protagoniste. Il possède une certaine bonhomie plaisante, mais son
excentricité est bien terne comparée au potentiel de son personnage.
Et la possibilité qu'il ne soit pas entièrement sain d'esprit n'est pas
aussi efficace que lorsqu'il est une énigme au spectateur. Le scénario
a également un peu de difficulté à se concentrer sur l'intrigue pri-
maire, s'éparpillant en quantité de diversions qui ne sont pas toutes
également réussies. Une sous-intrigue impliquant des agents du
gouvernement surveillant les agissements et déclarations bizarres
du héros semble provenir d'un film qui n'est ni comédie ni romance,
et sabote le rythme déjà syncopé du film.

Ceci étant dit, le fait que **Safety Not Guaranteed** n'est pas
entièrement réussi ne le rend pas pour autant moins intéressant :
rares sont les scénarios qui hésitent aussi longtemps sur leur appartenance au domaine de l'imaginaire (quelqu'un devrait *vraiment*
montrer le film à Todorov) et la présence à l'écran d'Audrey Plaza
est curieusement magnétique. Une des grandes thèses de « Sci-néma »
depuis quelques années est que la popularisation des poncifs de la
SF fait que ceux-ci n'appartiennent plus seulement au genre. **Safety
Not Guaranteed** présente une des conséquences d'une telle popularisation : il n'est pas nécessaire d'être un film de pure SF pour parler
de voyages dans le temps. Le résultat est un type de film apparenté
qui apporte un regard frais sur des enjeux familiers. Que le résultat
soit bon ou mauvais n'est pas aussi important que de constater sa
distinction.

Ender's Game

Pour une bonne partie du lectorat de SF, l'adaptation au grand
écran d'*Ender's Game* est l'aboutissement d'une longue série de
promesses, d'annonces hâtives et de tentatives avortées. Le roman
ayant acquis, depuis sa publication en 1985, le statut de classique
du genre (avec plusieurs prix et distinctions, des millions d'exemplaires vendus et d'interminables discussions faniques), sa popularité
menait inévitablement à une adaptation au cinéma.

Quand celle-ci fut confirmée, cependant, la réaction ne fut pas
celle qui aurait accompagné la nouvelle quinze ans plus tôt. C'est que
dans l'intervalle, la perception d'Orson Scott Card comme auteur a
beaucoup changé : de favori durant les années 1980, il est progressivement devenu un embarras chez les fans de gauche après plusieurs
déclarations regrettables. Son opposition virulente aux mariages gais,
son admiration pour l'administration Bush, ses déclarations scep-
tiques devant l'évidence du réchauffement planétaire en avaient déçu

plus d'un, à un point tel que des campagnes de protestations semi-organisées menaçaient de boycotter le film.

Après tant d'attentes et de grabuge, le film a donc été projeté sur grand écran à la fin 2013 et est devenu… rien de plus qu'un film ordinaire, tant au niveau critique que populaire. Des recettes modestes et des critiques tièdes ont fait en sorte qu'**Ender's Game [La Stratégie Ender]** passera rapidement à l'histoire comme un exercice de genre compétent mais nullement exceptionnel, du genre à remplir les bacs de films à rabais dans les supermarchés.

Au mieux, le film deviendra un exemple instructif pour ceux qui s'amusent à comparer la portée de la SF écrite à la SF au cinéma. Il est communément accepté qu'**Ender's Game** est un des romans de SF les mieux vendus de tous les temps : après trente ans de publication continue, le roman a atteint, dit-on, plus de *deux millions* de copies. Or, les recettes de 61 millions de dollars pour le film, à un prix d'entrée moyen de 8 \$, suggèrent que le film a été vu par approximativement… *sept millions* de personnes pendant la dizaine de semaines de sa diffusion en salles. Sans compter les ventes vidéo à la maison. De quoi avoir un aperçu vertigineux de la *véritable* place de la SF écrite dans l'écosystème du divertissement populaire.

Mais tout ce qui précède ne s'intéresse qu'à la réception du film dans son ensemble. Si on plonge dans les détails, ce qui reste est un film de science-fiction généralement bien mené, excentrique à sa manière, et généralement fidèle au matériel d'origine.

L'emphase est mise sur Andrew « Ender » Wiggin, un jeune adolescent sélectionné par le gouvernement planétaire comme un de ses meilleurs espoirs pour mener une campagne contre des extra-terrestres qui menacent les humains. Plongé dans le chaos d'une école militaire destinée à le rendre impitoyable, Ender doit lutter

pour remporter les épreuves conçues par les dirigeants de l'école, et « survivre » aux menaces de ses camarades de classe et à l'isolement habituel du surdoué vivant au milieu de gens plus ordinaires. Sans compter les extraterrestres à détruire…

Beaucoup de matériel présent dans le livre n'a pas survécu à l'adaptation. L'infâme sous-intrigue dans laquelle deux adolescents deviennent pratiquement les maîtres du monde grâce à des commentaires sur des blogues politiques avait beau être intrigante en 1985, elle est largement dépassée par la réalité d'aujourd'hui et son absence est la bienvenue dans le film. Une bonne partie de la psychodynamique tordue entre Ender, sa sœur et son frère est aussi restée dans le livre, et des ajustements essentiels ont été apportés à l'âge des personnages. L'essentiel des détails tactiques qui faisaient des séquences d'entraînement du livre un vrai délice a été télescopé, et une simplification radicale du troisième acte semble aussi désespérée que dissonante pour les férus du roman.

Tout cela a pour effet (inévitable?) de condenser un livre qui s'échelonnait sur quelques années en un film qui semble se dérouler sur quelques mois. La terrible fatigue et l'exaspération grandissante du protagoniste s'en voient conséquemment réduites, et la Grande Révélation du troisième acte est pratiquement télégraphiée bien avant de se produire (et ce d'une manière à moitié désintéressée, comme si le réalisateur avait fort bien deviné qu'il ne s'agissait pas d'une si grande surprise). Le rythme du film est inégal, et le manque de profondeur, surtout perçu par les lecteurs du roman, est un peu frustrant.

En revanche, il y a lieu d'examiner l'effet du film chez ceux, nettement plus nombreux, qui n'ont pas lu le livre. C'est là que certaines des limites du roman d'origine peuvent « choquer » le public contemporain. L'absence d'étudiantes dans une école militaire futuriste a de quoi faire sourciller. En fait, la prémisse même d'**Ender's Game** semble ridicule lorsqu'on se pose la question suivante : comment et pourquoi mettre tant d'espoir en un jeune adolescent alors que, en réalité, il existe dans l'univers de fins stratèges d'âge mûr et (de plus en plus) d'algorithmes guerriers d'une efficacité terrifiante? Le roman avait adopté comme sous-thème tout un questionnement sur la fin justifiant les moyens, mais le film est un peu rapide à faire oublier qu'il s'agit d'une torture orchestrée sur un jeune homme avec pour justification la survie de la race humaine. Bref, alors que les fans de SF n'auront pas trop de difficulté à laisser leur incrédulité de côté pour laisser Card s'interroger sur de grandes questions morales, ceux qui sont confrontés au film sans préparation préalable ne seront pas aussi convaincus.

La finale du film aura de quoi souligner le gouffre entre les deux types de fans. Car si le roman comporte un chapitre final tout à fait ironique qui servait à faire le lien entre **Ender's Game** et sa suite planifiée **Speaker for the Dead** (**La Voix des Morts**), le film se livre aux mêmes longues tergiversations sans aucune suite prévue. (Considérant les recettes décevantes du film, il y a lieu de supposer que l'univers d'Ender ne sera pas présenté à nouveau au grand écran de sitôt.) Le résultat, sans **Speaker for the Dead** en pré-production, aura de quoi diviser le public à la recherche d'une conclusion sans remords.

Reste donc les aspects plus conventionnels d'un film de SF à grand renfort d'effets spéciaux. Asa Butterfeld n'est pas mauvais comme Ender, et il est entouré d'acteurs de bon calibre (y compris Ben Kingsley et Harrison Ford, qui semble se spécialiser de plus en plus dans les vieux hommes aigris). Les effets spéciaux sont fort réussis, et certaines des séquences de combat donnent une belle place à l'imagerie *space opera* qu'il est toujours plaisant de rencontrer au grand écran. Finalement, la réalisation de Gavin Hood est compétente, présentant l'histoire de manière efficace malgré les problèmes conceptuels mentionnés plus tôt.

Ender's Game, malgré de grandes attentes et controverses, reste donc un film de science-fiction tombant dans l'honnête moyenne. Les tentatives d'adoucir les problèmes du matériel d'origine sont réussies quoique insuffisantes, mais le résultat rejoindra un certain public. Ainsi s'achève donc le post-mortem le plus décevant qu'il est possible d'imaginer pour une œuvre ayant conquis un public aussi passionné : une adaptation *ordinaire*.

Anthologies horrifiques

À première vue, il n'y a rien de prometteur dans **V/H/S** et **V/H/S/2** : deux anthologies de courts-métrages d'horreur réalisés à la manière des films en caméra subjective. Un total de neuf segments (plus deux autres segments servant d'introduction aux autres) tous réalisés façon « caméra sautillante », avec images de basse qualité, son amoché, montage saccadé et des finales présentant inévitablement la mort des protagonistes. (Car ainsi sont conçus les films en caméra subjective.) Les fans d'horreur écrite auront beau pointer leurs collections d'anthologies de nouvelles, il n'en demeure pas moins que le concept du film-anthologie, de **Creepshow** à **Movie 43**, ne récolte que rarement l'approbation critique.

Mais il y a des exceptions à tout, et si **V/H/S** [v.o.a] et **V/H/S/2** [v.o.a] ne sont pas des succès incontournables, il y a néanmoins suffisamment de matériel intéressant ici pour offrir quelques plaisirs

au cinéphile amateur d'horreur. Œuvrer à l'intérieur d'une prémisse si limitée semble avoir fourni aux cinéastes participants une réelle motivation à faire tout ce qui est possible avec les moyens à leur disposition, et c'est ainsi que la caméra subjective devient prétexte à des exercices de style fort intrigants. Outre les traditionnels férus de la caméra vidéo employée pour documenter leurs vacances, voici que l'on nous propose un homme avec un œil cybernétique, un collégien avec une caméra de voyeur cachée dans ses lunettes, un cycliste avec caméra-au-casque Go Pro et un court-métrage exclusivement tourné comme une série de conversations sur Skype. Les prémisses creusent également beaucoup les possibilités de la caméra subjective selon des approches impossibles à maintenir pendant un plein long-métrage : voir une infestation zombie par les yeux d'un zombie est le genre de démarche qu'on ne peut développer sur plus d'une vingtaine de minutes, et certains des meilleurs moments des deux films sont de courtes explosions de pure folie terrifiante qui ne fonctionneraient pas dans un autre contexte.

On notera aussi que **V/H/S/2** présente une nette amélioration sur son prédécesseur. Alors que le premier film commet quelques bourdes élémentaires (une narration d'encadrement basée sur des protagonistes détestables, des segments plutôt fades et une approche thématique monotone), la suite semble apprendre des succès du premier film : l'intrigue qui encadre le tout a des personnages plus sympathiques et une meilleure chute, les segments ont beaucoup plus d'énergie pour mieux relâcher la tension terrifiante, et les segments semblent être un peu plus variés. On notera aussi les premiers éléments d'une mythologie sous-jacente à toute la série qui pourrait en promettre plus dans l'éventualité de suites.

Ceci dit, ce sont les segments individuels qui méritent l'essentiel de l'attention, et c'est pourquoi on soulignera quelques-uns en particulier :

• « Amateur Night » (**V/H/S**) souffre de personnages antipathiques (des collégiens qui ont l'intention de profiter d'une soirée bien arrosée pour séduire des jeunes femmes et garder une vidéo de leurs conquêtes), mais la perspective limitée de la caméra rehausse l'angoisse quand une de leurs conquêtes s'avère être nettement moins timide qu'ils l'espéraient.

• « 10/31/98 » (**V/H/S**) est sans contredit le meilleur segment du premier film, en grande partie pour l'énergie démentielle du court-métrage lorsque les protagonistes doivent s'échapper d'une maison hantée : les portes disparaissent soudainement, des mains jaillissent des murs et les personnages doivent courir pour sauver leur vie et celle d'une victime des membres d'une secte qu'ils viennent de secourir. Pour un premier film qui était lourd en sombre horreur mortelle, le segment apporte soudainement un net regain d'énergie suffisant à faire ricaner de plaisir les spectateurs soudainement énergisés.

• « A Ride in the Park » (**V/H/S/2**), tel que mentionné précédemment, nous met presque dans la tête d'un zombie. Si vous pensiez que tout avait été fait avec le concept du zombie, c'est une tout autre chose que de voir les séquences habituelles du point de vue d'un mort-vivant.

• « Safe Haven » (**V/H/S/2**), sans doute le meilleur segment des deux anthologies confondues, prend un peu de temps à introduire une équipe de journalistes et un mystérieux culte indonésien. Mais quand l'horreur débute, c'est une succession de chocs les uns à la suite des autres, alors que horreur et action se succèdent à un rythme frénétique pendant une dizaine de minutes, comme si les réalisateurs (dont Gareth Evans, de la série « The Raid ») avaient voulu maximiser les forces du segment « 10/31/98 ». Peu importe : le résultat est macabrement hypnotisant.

• Finalement, « Slumber Party Alien Abduction » (**V/H/S/2**) est à peu près ce que promet le titre, réalisé à la manière d'un long cauchemar-poursuite mettant en vedette des extraterrestres déterminés à enlever tous les personnages. En boni, une partie de l'action est filmée par une caméra montée sur un chien. La bande sonore est efficace : assurez-vous de bien calibrer vos haut-parleurs.

D'autres trouvailles mineures parsèment le reste des anthologies. Dans « Tuesday the 17 th », le monstre sanguinaire est à peine aperçu au travers d'une série d'incidents visuels à peine capturés par la caméra vidéo alors que « Phase I Clinical Trials » parvient à obtenir un rire franc avec une séquence de nudité gratuite. Il y a bien entendu des faiblesses : presque tous les segments se terminent par la mort horrible des protagonistes, l'image sautillante pourra lasser, et le premier film souffre particulièrement de personnages insipides qui méritent leur mort inévitable. On notera, d'un point de vue plus conceptuel, que si la plupart des segments sont efficaces à créer un fort sentiment d'épouvante grandissante et de franche horreur, ils parviennent rarement à intégrer leurs chocs visuels et conceptuels en une mythologie satisfaisante : les événements se succèdent et les morts surviennent avant d'obtenir des explications. Ce n'est pas un problème quand le rythme des vignettes est soutenu (voir « 10/31/98 » et « Safe Haven ») mais c'est plus vexant lorsqu'on a le temps de maugréer durant le visionnage (voir « Phase I Clinical Trials » et le frustrant « The Sick Thing That Happened to Emily When She Was Younger »). Il y a aussi un problème de vraisemblance si on pense trop longtemps à la provenance des cassettes regardées par les personnages des intrigues d'encadrement, mais il faut bien accorder à cette anthologie la mise de côté d'une certaine incrédulité.

Comme avertissement final, est-il utile de préciser que la série **V/H/S** est une production par et pour amateurs d'horreur franche ? Nous sommes loin, ici, de l'horreur dénaturée et adoucie pour les besoins des grandes foules : les tripes sont exposées au grand jour, la vertu n'est pas récompensée et les monstres ne font pas de prisonniers.

En revanche, le résultat est un duo de films-anthologies qui se comparent plutôt bien à ce qu'il est possible d'obtenir sous format livre. Plusieurs des réalisateurs ayant travaillé sur **V/H/S** et sa suite sont jeunes et sur le point d'amorcer une belle carrière – avec un peu de chance, on verra peut-être la série **V/H/S** comme le banc d'essai pour une nouvelle génération de cinéastes, et on attendra avec une crainte souriante **V/H/S/3**.

Racler le fond du baril des invasions extraterrestres

Entre 2009 et 2011, la Terre a été envahie par des extraterrestres à plus d'une douzaine de reprises... à en juger par le nombre de films portant sur ce thème durant la même période. « Sci-néma » avait commenté une bonne partie des résultats, et, alors que la vague semble finalement s'être apaisée, il reste deux minables exemples du sous-genre qui peuvent tout de même s'avérer instructifs à leur manière. Car oubliez les grands succès qui laissent pantois ou minimalement satisfaits : on en apprend parfois plus sur les rouages d'un genre en examinant ce qui fonctionne mal.

Personne, par exemple, ne pourra prétendre que **The Watch** [**Surveillance**] est un exemple particulièrement réussi de film d'invasion extraterrestre. Même lorsque considéré comme comédie de bas-étage destiné aux mâles américains frustrés. Car, à la manière de **Hot Tub Time Machine**, **The Watch** est un autre exemple de ce qui se passe quand des concepts associés à la SF sont soudainement accessibles à une audience de masse : on peut s'en servir comme élément de base d'une médiocre comédie, en ne lésinant sur aucun détail permettant de viser le plus bas dénominateur commun.

Le tout se déroule dans une paisible banlieue américaine, où notre protagoniste œuvre comme gérant d'un magasin Costco. Quand un employé du magasin est tué dans de mystérieuses circonstances, notre protagoniste décide de former une patrouille de voisinage pour enquêter sur le cas et empêcher d'autres morts. Les trois hurluberlus qui se joignent à lui ont, eux, d'autres motivations : un jovial entrepreneur qui se cherche un club social, un fanatique des armes qui rêve de devenir policier, et un récent divorcé qui cherche à faire des conquêtes romantiques. Entre beuveries et prétextes pour s'amuser, le groupe découvre la preuve d'une présence extraterrestre qui complote pour envahir la terre.

Mais le synopsis ne parvient pas à exprimer la grossièreté des gags. L'immaturité des hommes-enfants protagonistes est frappante, et le scénario ne perd jamais une occasion pour faire une blague de mauvais goût, quelles que soient les circonstances. Certes, la présence de Vince Vaughn au générique d'un film n'est jamais un gage de qualité, mais son personnage ici est plus agaçant que d'habitude. Jonah Hill, lui, semble se complaire dans un rôle de débile. Et Ben Stiller disparaît derrière un personnage fade. Seul Richard Ayoade s'en tire relativement bien, mais il a l'avantage d'un personnage plus inusité que les autres.

L'intérêt de **The Watch** réside bien plus dans la description des insécurités des banlieusards américains d'un certain âge : à la fin du film, les personnages parviennent à tabasser le vaurien qui ose toucher

leur fille, bien s'entendre avec leur partenaire après une longue période
de tension mensongère, trouver l'amour charnel sans attaches ou
obtenir le respect de leurs anciens rivaux – rien que de l'exploration
de ficelles narratives évidentes. En revanche, en tant que film de SF,
The Watch demeure d'un inintérêt quasi-total : non seulement rien ne
vient renouveler le poncif de l'invasion extraterrestre, mais on semble
revenir en arrière avec une prémisse encore plus débile que celles de
la plus récente vague de films portant sur ce sujet. Ce n'est définitivement qu'une comédie de bas étage pour hommes soi-disant mûrs.

Le contraste avec **The Host** [**Les Âmes vagabondes**], qui utilise
une invasion extraterrestre comme prétexte à un drame romantique
pour jeunes filles, ne pourrait pas être plus choquant. Alors que **The
Watch** est basé sur la menace d'une prise de possession de corps
humains par des extraterrestres, **The Host** débute comme tel : une
décennie après que les extraterrestres, maintenant majoritaires sur
Terre, ont « parasité » les humains. Les conflits ont cessé, et le monde
semble être à la fois en paix et terriblement ennuyeux. Heureusement (?), des rebelles pleinement humains défient l'ordre imposé.
Notre héroïne fait partie de ce groupe, mais elle est capturée, ce qui
mènera à l'implantation d'une personnalité extraterrestre en elle.
Mais toutes deux sont aussi déterminées l'une que l'autre, et le résultat n'est pas tant une prise de possession qu'un partage difficile
du même corps. Quand l'humaine parvient à s'enfuir et rejoindre la
résistance, elle peine à contrôler son passager extraterrestre. Le tout
mène rapidement non seulement à une traque, mais aussi et surtout
à un quatuor amoureux entre deux garçons et une fille possédant
deux personnalités opposées.

Le film est adapté de l'unique roman non-*Twilight* de Stephenie
Meyer, et il n'y a pas à chercher longtemps sa mixture habituelle
d'éléments imaginaires d'une grande naïveté et de sentimentalité

surfaite. Ici, la SF est l'esclave des torticolis romantiques de l'héroïne, et le film n'a rien de bien neuf à offrir pour ce qui est de sa sous-intrigue de traque par les autorités extraterrestres. Le tout dégénère rapidement en n'importe quoi fantaisiste (la façon de convaincre les extraterrestres de quitter leur enveloppe charnelle humaine est de le leur demander « avec amour ») et le film se termine sur la certitude que, maintenant que cette mauvaise communication a été réglée, l'harmonie régnera à nouveau entre humains et extraterrestres.

À ce genre de pablum émotionnel, il faut ajouter des problèmes inhérents à l'exécution du film. Si un humain possédé par un extra-terrestre peut entretenir un riche dialogue interne en fiction écrite, le tout est d'un ridicule consommé au cinéma alors que l'actrice Saroise Ronan (bien plus douée que le matériel qu'on lui sert ici) doit se répondre à elle-même, parfois à voix haute. La déception est d'autant plus profonde que le réalisateur Andrew Niccol a fait bien mieux par le passé avec des semi-classiques tels **Gattaca** et **Lord of War**. Son approche froide et analytique est plutôt déplacée pour une histoire aux émotions si affirmées. Tout au plus y a-t-il occasion d'apprécier l'esthétisme tout-chrome des extraterrestres et la séquence de magasinage dans un commerce ultra-générique. Pour le reste, **The Host** demeure inerte ; réalisé avec mollesse, il comporte des choix artistiques d'une efficacité douteuse.

Ceci étant dit, on profitera de l'occasion pour admirer de loin, pour **The Host** autant que **The Watch**, la façon dont un même poncif peut mener à des réinterprétations aussi différentes. La plus récente vague des films d'invasions extraterrestres a produit une diversité d'approches et de thèses, allant du film d'action guerrier (**Battle Los Angeles**) à la comédie d'action urbaine (**Attack the Block**). Si, pour l'amateur de science-fiction, l'efficacité des résultats et leur intérêt ont été hautement variables, il y a lieu de se rassurer : les outils du genre peuvent toujours avoir de multiples usages pour une toute aussi grande diversité d'audiences.

Christian Sauvé est informaticien et travaille dans la région d'Ottawa. Pour les amateurs de SF&F, il est cependant connu comme animateur, au congrès Boréal, de la célèbre présentation annuelle de bandes-annonces ! Sa fascination pour le cinéma et son penchant pour la discussion lui fournissent tous les outils nécessaires pour la rédaction de cette chronique. Son site personnel se trouve au http://www.christian-sauve.com/.

Élisabeth Vonarburg
Hôtel Olympia
Lévis, Alire (Romans 157), 2014, 591 p.

On ne présente plus vraiment Élisabeth Vonarburg, auteure émérite de romans de science-fiction aussi marquants que le cycle de *Tyranaël* ou **Chroniques du pays des mères**. Elle nous a plus récemment entraînés sur le terrain de la fantasy historique avec *Reine de Mémoire*, portée par son style riche et enlevé. Avec **Hôtel Olympia**, l'auteure déroge à ses habitudes pour nous présenter cette fois un volume qui se suffit à lui-même, sans suite attendue.

Tout commence dans un univers qui ressemble de près au nôtre aujourd'hui : Danika est une femme dans la soixantaine qui habite Montréal. Elle est photographe et partage sa vie avec un archéologue spécialiste de l'Antiquité, Tommi. Vive et indépendante, Danika est surprise de recevoir la visite de son père, Stavros, qu'elle n'a pas vu depuis quarante ans. Il lui apprend que sa mère, Olympia, a disparu et que l'hôtel qu'elle tenait à Paris a besoin d'une directrice : elle. Seule héritière désignée. Danika regimbe. Elle a quitté tout cela à douze ans et ne se passionne pas pour la gestion. Un petit voyage et ce sera réglé... lui assure Stavros, le billet d'avion à la main. Curieuse et désireuse de se débarrasser de la responsabilité tout à la fois, Danika embarque seule pour Paris.

Ce qu'elle ne sait pas, c'est que les souvenirs personnels enfouis depuis longtemps vont remonter petit à petit à sa mémoire... dès son arrivée à l'hôtel, et que les membres de sa famille, tout comme ses amis d'enfance, n'ont pas vraiment vieilli. Tout cela cache un mystère qu'elle va devoir comprendre pour récupérer pleinement son héritage ou le laisser à d'autres comme elle en avait l'intention dès le départ. Les intrigues vont bon train à son arrivée, les factions se préparent à recevoir l'héritière... mais le plus étrange est un univers encore à définir : l'hôtel rêve...

À partir d'une intrigue policière mâtinée de fantasy urbaine, Élisabeth Vonarburg nous propose un voyage

inhabituel : celui qu'on peut faire en retournant aux origines, auprès des archétypes, des modèles de nos sociétés occidentales. Son livre m'a d'ailleurs fait penser à **American Gods** de Neil Gaiman. Les allusions, les personnages sont rapidement transparents si vous connaissez les classiques. L'hôtel devient le lieu de tous les possibles : reflet du passé, prison dorée, porte vers d'autres mondes, voyage en circuit fermé ou dans l'Imaginaire des temps les plus reculés (l'évocation finale des archétypes est un moment de bonheur pour tout passionné de contes et légendes et d'archéologie). Le lecteur se balade entre différents niveaux de réalité avant de basculer dans une intrigue policière qui sème des fausses pistes à répétition jusqu'à la révélation finale.

Croisement de genres, **Hôtel Olympia** offre aussi une réflexion sur le retour aux sources, le temps qui passe, l'âge, la famille et les liens. La mère, absente, se dévoile comme en creux, vide qui offre une présence riche d'échos. Le père, voyageur et marin, n'est guère plus présent. Danika, quant à elle, parle avec la voix d'Élisabeth Vonarburg, qui admet avoir mis beaucoup d'elle dans le personnage.

Roman bien tourné quoiqu'avec quelques longueurs, **Hôtel Olympia** est un texte inclassable, croisement de genres et riche d'idées. Efficace, il donne envie de tourner les pages et ses personnages sont attachants. C'est un bon roman, pas son meilleur à mon sens, mais je ne suis pas une lectrice de romans policiers, et cela influe certainement sur mon appréciation de la forme. C'est un divertissement qui ravira tout amateur de ces univers très personnels et des personnages parfois passionnés sinon passionnels que sait si bien créer Élisabeth Vonarburg.

Nathalie FAURE

Catherine Lafrance
Le Retour de l'ours
Montréal, Druide (Écarts), 2013, 258 p.

L'année 2013 fut une cuvée particulière au chapitre des nouveaux romans, puisqu'elle vit un investissement massif des littératures de l'imaginaire au sein de la grande littérature. Véritable incursion *en force*, plusieurs romans d'auteurs québécois se démarquent de la sorte, alors qu'ils sont pourtant publiés dans des maisons d'édition traditionnellement plus frileuses aux thématiques fantastiques, fantaisistes ou science-fictionnelles. Pensons, pour n'en nommer que deux, à **Demain sera sans rêves** de Jean-Simon DesRochers, ou encore à l'intriguant **Pourquoi Bologne** d'Alain Farah, ce dernier ayant beaucoup fait parler de lui lors de la rentrée littéraire. Nous, ardents promoteurs des littératures de l'imaginaire, ne pouvons que nous réjouir d'un tel retour des choses, puisqu'il signifie la mort du snobisme revanchard qui a trop longtemps cantonné nos genres de prédilection dans le ghetto de la « paralittérature », expression heureusement désuète. Nous savions déjà que la science-fiction autant que le fantastique n'avaient plus besoin d'être défendus, ou si peu ; la critique institutionnelle négative à leur endroit s'étant essoufflée au profit d'une curiosité bénéfique – celle de la recherche universitaire. Cautionnée par l'institution, il devenait naturel que la grande littérature s'approprie les codes propres aux genres de l'imaginaire, ne serait-ce que pour se renouveler ; puisque comme le souligne Guy Bouchard dans **Les 42 210 univers de la science-fiction**, celle-ci s'était elle-même sclérosée dans les formes historiques et psychologiques, dont le roman intimiste contemporain, après avoir pressé le citron jusqu'à sa pelure, semble avoir toutes les difficultés du monde à en extraire quelque chose méritant encore l'étiquette « d'original ».

Le dernier roman de la journaliste et animatrice Catherine Lafrance s'inscrit dans ce *mea culpa* du champ de production restreinte, pour reprendre l'étiquette proposée par Pierre Bourdieu. Fiction du Nord, **Le Retour de l'ours** nous convie aux panoramas sublimes de la toundra tout autant qu'aux traditions séculaires des Inuits qui l'habitent, chose que nous révélait, à une autre époque, Yves Thériault dans **Agaguk** avec le succès que l'on sait, et qui, depuis, force la comparaison. Or, le Nord du roman de Lafrance n'est pas celui de Thériault, aussi faut-il d'emblée faire fi de ce réflexe critique.

Il faut comprendre que les régions boréales qui y sont peintes sont en effet celles d'un futur post-apocalyptique où la Terre, après une brutale période de réchauffement climatique ayant plongé l'humanité dans le chaos, entre doucement dans une petite période glaciaire, alors que l'écosystème nordique souffre de la disparition de son plus important prédateur : Nanuk, l'ours blanc. Son retour a été prophétisé ; aussi est-il attendu

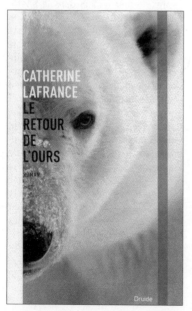

par le vigile, fonction occupée par le vieil Aloupa, lequel demeure des jours entiers sur son promontoire, scrutant la plaine dans l'expectative de l'ours.

C'est sur la base de cette observation que s'ouvre le roman. Mais tous, dans le village, n'accueillent pas cette nouvelle de manière positive, et la parole d'Aloupa est remise en question alors que les stocks de nourriture s'amenuisent et que la famine menace. Une lutte de pouvoir s'enclenche, qui verra l'actuel chef, le fils d'Aloupa, être renversé par un chasseur rival, alors que sa petite-fille, la jeune Sakari, est forcée d'accompagner son grand-père dans sa vigie. Ce que Sakari, sur qui se centre le roman, perçoit d'abord comme une punition s'avérera en fait le début de son émancipation de la culture patriarcale dominant son village, puisqu'en adoptant le rôle de vigile, elle devient par le fait même le réceptacle de la connaissance orale de son peuple. De jeune adolescente insouciante, elle se transforme en femme de tête, la première vigile de sexe féminin, bousculant les conventions par ses initiatives salutaires pour la survie de son village alors que les chasseurs, partis en mer en quête d'une baleine, tardent à revenir, les jours s'espaçant en semaines, puis en mois ; si bien qu'il vient un temps où Sakari est reconnue *de facto* comme la cheffe du village, la première femme occupant ce poste. Elle accepte ces responsabilités, mais continue néanmoins, chaque jour, à veiller sur le promontoire, observant la plaine et le ciel, dans l'attente d'une seconde venue – celle de l'homme blanc.

En un sens, il s'agit bel et bien d'un roman du passage à l'âge adulte autant que de l'émancipation féminine, si ce n'est que le cadre dans lequel s'inscrit ce processus est nécessairement singulier, ne serait-ce que par sa dépendance à la nature et au climat, lesquels surdéterminent justement la narration. Si la richesse des descriptions est indéniable, cette *présence* effective du Grand Nord vient ainsi s'incruster, par le sublime qui se dégage de la majesté de ses étendues glacées, jusque dans le rythme lui-même. Un rythme lent, méditatif, à l'image autant de l'interminable nuit polaire hivernale que de la vie contemplative du vigile qui la scrute du regard.

Personnellement, je ne suis, d'ordinaire, pas trop friand de ce type de narration, toute en simplicité sauvage et où, il faut le dire, il ne s'y passe pas grand-chose – sauf le temps lui-même, mis à nu par l'ennui de l'attente. Seulement, Catherine Lafrance réussit à insuffler suffisamment d'exotisme aux scènes de guetteur pour rendre celles-ci sinon divertissantes, du moins évocatrices et envoûtantes – et c'est plus qu'il n'en faut pour apprécier le roman.

Marc Ross GAUDREAULT

Michel Lebœuf
L'Homme qui n'avait pas de nombril
Waterloo, Michel Quintin, 2013, 315 p.

Philippe Morel n'est pas un homme comme les autres : il est le vilain petit canard, un extraterrestre. Pourquoi ? Parce qu'il n'a pas de nombril. Alors que sa mère vient de mourir, c'est le moment pour lui de faire le point sur sa vie d'étranger, d'enfant qui a subi les moqueries de ses camarades et qui, en vieillissant, a su s'affranchir de ces méchancetés dans le but d'en tirer profit. Lui-même résultat de manipulations génétiques, Morel se voit entraîné au milieu d'un complot scientifique. Arrivera-t-il un jour à se dire qu'il est davantage qu'une expérience ?

L'Homme qui n'avait pas de nombril de Michel Lebœuf est un roman particulier : divisé en trois parties – trois mouvements symphoniques, pour être précis –, ce dernier relate la vie d'un homme qui doit vivre constamment avec sa différence et qui doit apprendre à l'accepter, malgré le regard des autres.

Morel nous raconte donc sa naissance, sa vie familiale, son attachement à sa sœur bipolaire placée dans un centre où elle ne fait que lire et écouter la télévision. Le style de l'auteur est incisif, et touchant lorsqu'il traite de la maladie de Lucie. Les personnages nous habitent, nous charment et nous attristent grâce à leur personnalité unique et réaliste ; ils ne sont pas des superhéros, mais plutôt des gens ordinaires qui se démènent dans un monde qui tourne trop vite et où l'apparence en est le moteur. Ils ont tous un petit quelque chose d'intéressant. Tous ? Non : le personnage principal est lourd. Ce qui est dommage, car c'est sur ses épaules que repose le roman. Lorsqu'il s'adresse au lecteur, il n'hésite pas à répéter sans arrêt ce qu'il a souligné au crayon gras quelques pages plus tôt. Comme s'il avait peur que le lecteur ne suive pas ou ne comprenne pas ce qu'il raconte. Cette manie de toujours dire « vous vous rappelez ? » saoule, surtout qu'on ne voit pas l'intérêt, dans ce roman en particulier, de s'adresser de cette manière au lectorat. Du coup,

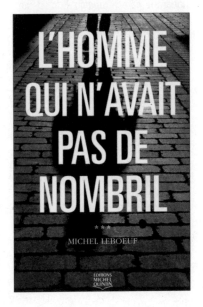

on se sent imbécile et l'envie nous prend de refermer ce livre et de l'oublier dans un coin poussiéreux de la pièce.

L'autre problème du roman de Lebœuf réside dans le fait qu'il n'est en rien passionnant. Le résumé annonce un thriller psychologique, mais de ce genre, le roman n'en possède que ce terme sur la quatrième de couverture. Même chose pour la science-fiction, qui n'est ici qu'effleurée ; elle est plutôt prétexte à la psychologie du personnage principal. L'histoire se veut à la limite des genres, mais, à trop vouloir border ces limites, on finit par déraper et ne plus être capable de reprendre le contrôle, ce qui est visiblement arrivé dans ce cas-ci. En plus du thriller et de la science-fiction, l'auteur veut toucher au fantastique en s'inspirant, de manière très maladroite, d'un conte russe pour la trame de son récit (on ne saura jamais vraiment ce qui relie l'histoire du prince dans le conte à celle de Philippe Morel, mise à part cette idée de quête qui les motive dans leurs actions), tout en faisant de son roman un « Histoire 101 pour les nuls » en pratiquant le *name dropping*. Et c'est sans parler du gigantesque problème de cohérence à la fin du roman : depuis le début, le personnage principal s'adresse directement au lecteur en lui racontant son passé, ce qui l'a poussé à poser les gestes dans le présent, etc. On reste alors surpris d'apprendre, à la fin, que Philippe Morel se voit tué par un policier, ce qui remet en question la véracité du récit... ou la direction littéraire qui a laissé passer une bourde aussi énorme !

On doute donc de la pertinence d'un tel ouvrage : un paquet d'intrigues molles développées, puis balayées à la fin en deux ou trois pages. **L'Homme qui n'avait pas de nombril** est un roman sans intérêt qui s'accuse d'être brouillon ; une perte de temps tout à fait frustrante.

Mathieu ARÈS

Élodie Tirel
Mémoris
Waterloo, Michel Quintin, 2013, 493 p.

Élodie Tirel est surtout connue pour ses séries jeunesse, *Luna* et *Zâa* (dont le premier tome est paru en 2004 chez Milan sous le titre **Les Héritiers du Stiryx**, réédité en 2012 chez Michel Quintin accompagné des volumes suivants restés inédits). Son premier roman a d'ailleurs mérité le prix Merlin. N'ayant rien lu de cette auteure, j'avais malgré tout quelques attentes après avoir entendu de nombreux commentaires élogieux à l'égard des œuvres de cette écrivaine.

Son dernier roman, **Mémoris**, raconte l'histoire d'une femme qui se retrouve, complètement amnésique, au beau milieu d'une poursuite. L'AI, l'Armée Internationale, la recherche activement et elle a la chance de tomber sur Éthan, un homme visiblement prêt à l'aider à s'en sortir vivante. Grâce à lui, elle commence à retrouver la mémoire et apprend qu'elle a travaillé au sein de Mémoris, une entreprise qui réalise des expériences ultrasecrètes. Mais l'étau se resserre. Alors que les révélations fusent, le monde autour d'elle s'effondre, car elle se sent prise au centre d'une conspiration qui la dépasse.

Qu'en est-il de **Mémoris**, la première incursion de Tirel dans le roman pour adultes ? Je m'avoue déçu. Je mettrais tout d'abord la faute sur ce chapitre d'introduction qui ne sait visiblement pas sur quel registre jouer : on est aspiré dans l'histoire grâce à un style haché, mais on décroche rapidement dès que la romance pointe le bout de son nez, une romance amenée de manière si maladroite qu'elle me laisse un arrière-goût amer : leurs regards se croisent, il est beau, elle est belle, c'est le coup de foudre instantané ! C'est bien là le réel problème de ce roman, on ne croit pas un instant à cette idylle insipide. Ainsi, au lieu de développer l'intrigue policière au centre de laquelle se retrouve Sam, la jeune femme amnésique, Tirel préfère parler de pourquoi Sam trouve Éthan si beau et si parfait avec son corps athlétique, et de pourquoi Éthan trouve Sam si belle avec son visage d'un ovale parfait et sa poitrine généreuse. On est ici placé devant les grands dilemmes de Ken et Barbie…

Deuxième faute ? Un personnage principal complètement nunuche – en plus d'être amnésique ! Dès les premières pages, c'est écrit dans le ciel en grosses lettres capitales soulignées en gras que son protecteur mène en fait une double vie : tout au long du roman, Sam se fait suivre par un albinos répondant au nom de Tywan Héatt, anagramme d'Éthan Wyatt. L'introduction de cette intrigue est très malhabile : alors qu'Éthan s'absente régulièrement pour cause médicale, le lecteur attentif se rend vite compte que l'albinos n'apparaît que lorsque Sam est seule. La révélation en fin de roman se veut des plus dramatiques, mais elle ne réussit qu'à faire rire, puisque l'on en connaît l'issue depuis le début.

Et c'est là qu'intervient la troisième faute, l'intrigue, justement. On ne sent

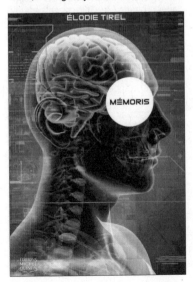

à aucun moment le danger que Sam semble courir. Elle est poursuivie par l'AI ; pourtant, elle se promène partout sans anicroche. Pourquoi est-elle recherchée ? Parce que David, un scientifique pour qui elle a travaillé chez Mémoris, désire ardemment la retrouver dans le but d'obtenir l'immortalité. Il organise donc un complot dans le but de récupérer Avel Maury, un complot qui fait des centaines de morts pour la seule vie éternelle d'un homme à la personnalité aussi plate que du contreplaqué. C'est sans parler, aussi, de l'histoire ridicule développée autour du personnage principal qui va de révélations en revirements de situation de dernière minute, avec, en prime, des *deus ex machina* à la tonne. On nage en plein *soap opera* !

Au final, on se retrouve devant un roman au style simple et accrocheur, à l'histoire prometteuse, mais au développement facile, bourré de clichés et d'incohérences ; ce qui est dommage, car les deux derniers chapitres, efficaces en diable, prouvent qu'Élodie Tirel aurait été capable de nous offrir une œuvre à des milles de ce que l'on tient entre nos mains. On a souvent l'impression que l'auteure désirait s'adresser à un lectorat adulte, tout en ne sachant pas comment se débarrasser des *scories* de la littérature jeunesse. Grâce au style fluide de Tirel, je maintiens tout de même l'envie de suivre son parcours avec attention… parcours duquel j'éliminerai volontiers ce présent roman.

Mathieu ARÈS

Daniel Sernine
Les Îles du Ciel
Saint-Lambert, Soulières, 2014, 273 p.

Certes, d'habitude **Solaris** ne traite pas d'œuvres pour la jeunesse, cela en raison de considérations d'espace, de public cible, etc. Toutefois, comment ignorer la parution d'un nouveau roman de Daniel Sernine ? Surtout quand le dernier inédit de l'auteur remonte à 2008, avec la publication des **Écueils du temps**, dernier volet de la trilogie *La Suite du temps*...

Il y avait un moment qu'on les attendait, ces **Îles du Ciel**, nouvel opus rattaché au cycle de Neubourg et Granverger. Comme l'explique l'auteur par une note à la fin du livre, l'idée lui en est venue en écrivant une nouvelle pour le magazine **Les Débrouillards**, « La Pluie rouge », nouvelle reprise dans un collectif éponyme chez Soulières éditeur.

Donc, ces **Îles du Ciel**, où se situent-elles dans le cycle ? À la fin du XVIIIe siècle, de 1784 à 1789, deux décennies avant **La Nef dans les nuages**, roman dans lequel on retrouve le personnage d'Étienne devenu « maître Gaugard ». Dans « La Pluie rouge », Étienne et son mentor Rodrigue Bertin, en enquêtant sur d'étranges phénomènes qu'on pourrait qualifier de « météorologiques », faisaient la connaissance d'un aérostier européen, François Ponce Desrosiers, de son fils Adrien, de son assistant Hippolyte Cordelier et de son secrétaire MacGuire. L'envolée de François Ponce Desrosiers et d'Hippolyte Cordelier se terminait de manière mystérieuse : disparus les aérostiers, disparu leur ballon. Les premiers chapitres des **Îles du Ciel** reprennent « La Pluie rouge ». Cependant, nécessité oblige, des personnages se sont ajoutés, dont Éléonore, amie d'enfance d'Étienne fiancée à Hippolyte Cordelier. Ce qui constituait la finale de la nouvelle, c'est-à-dire la disparition des aérostiers, marque simplement la fin d'un chapitre. Trois ans plus tard, un jour où il pleut des pierres, Étienne reçoit derrière la tête une noix d'espèce inconnue qui contient une broche qu'Éléonore avait offerte à Hippolyte au moment de son départ. Lorsqu'Adrien revient d'Europe, on apprend qu'il a reçu une lettre d'Hippolyte, une lettre repêchée en mer par un bateau et qui aurait été jetée depuis le ciel. Adrien, son associé Rodolphe

Lalande et le secrétaire MacGuire poursuivent leurs voyages autour du monde ainsi que leurs envolées. Alors qu'il est encore mineur et doit passer l'été à Montréal, Étienne fugue pour se joindre aux aérostiers, mais il est récupéré par son père furieux et c'est seulement après avoir atteint sa majorité qu'il peut enfin, en 1789, participer à l'expédition qui permettra aux explorateurs d'atteindre l'une de ces mystérieuses îles qui flottent dans le ciel...

Il y a beaucoup à dire de ce roman, à commencer par : « Argh, on en aurait pris plus ! » Je n'ai aucune idée de la réception qu'aura ce fort beau récit auprès du public cible. En effet, la mise en place est lente, l'auteur prend le temps de construire le contexte et rend de façon très réaliste le défi posé par ces envolées au XVIIIe siècle. Par contraste, on pourrait juger que les aventures dans l'archipel flottant surviennent assez tard dans le roman, et qu'elles occupent une place relativement réduite (une bonne grosse moitié du bouquin). Format jeunesse oblige ? Oui, le récit aurait pu être plus long. On aurait pu creuser un peu plus certains personnages secondaires, comme MacGuire et Lalande, et prolonger les aventures sur l'île mystérieuse. Toutefois, que cela soit clair : ce désir très adulte de voir l'assiette remplie n'enlève rien aux qualités du plat tel qu'il nous est servi.

Ce qui frappe d'abord en amorçant la lecture, c'est la beauté du texte. Sernine a toujours été un grand créateur d'atmosphère et, dès la phrase initiale, on est absorbé par la magie des mots : « Ce jour-là, le soleil se leva deux fois. » (p. 7) C'est sans doute l'une des plus belles « première phrase » que j'ai lue dans mon existence de lectrice. Les descriptions sont envoûtantes : « Et la face supérieure des îles, celle que jamais on ne pourrait voir depuis la terre des hommes, elle était couverte de prés, de champs et de boisés en diverses nuances de bleu, allant du presque blanc jusqu'à un

Daniel Sernine
les îles du ciel

turquoise profond, en passant par l'azur et le bleu métallique du fleuve par beau temps. » (p. 134)

Quant à la lenteur de la mise en place évoquée plus haut, elle est ce qui donne son goût d'authenticité au récit. La lenteur des progrès dans les tentatives des aérostiers, les multiples difficultés et dangers à mener de telles expéditions, tout cela est terriblement vrai. Le respect des connaissances et des moyens technologiques de l'époque sont ceux de la science-fiction : l'auteur ancre les aventures de Ponce Desrosiers dans la réalité historique, les premières envolées ayant eu lieu en Europe en 1782. D'ailleurs, le nom de Desrosiers évoque l'un des pionniers en ce domaine, Pilâtre de Rosier, et la noblesse du personnage (ainsi que le nom de son associé Lalande) est à rapprocher du titre de marquis de François-Laurent d'Arlandes, compagnon de Pilâtre de Rosier. Ensuite, une fois que les explorateurs ont atteint l'une des îles du ciel, leur attitude, leur intérêt, leurs actes sont ceux des naturalistes prédécesseurs de Darwin. Enfin, les difficultés du retour sont également très

vraisemblables : revenir du lac Érié en 1789 était une expédition au moins aussi éprouvante que d'atteindre les îles du ciel ! Bref, cela m'a irrésistiblement fait penser à Jules Verne…

Comme dans **Voyage au centre de la terre**, c'est une faune et une flore radicalement étrangères que découvrent les explorateurs. Que de belles images, que de pistes qu'on aurait aimé suivre ! Les « oiseaux Roc », les dolines, la transe des îliennes, la forteresse et les chariots volants, sans oublier les rêves prémonitoires ou empathiques d'Étienne… Bien sûr, le monde des îles, les phénomènes inexplicables que les explorateurs y observent font basculer le récit dans le fantastique, mais on reste toujours dans la cohérence. Évidemment, l'incapacité à communiquer avec les îliens permet à l'auteur de limiter les péripéties, de même que l'incident qui mettra fin à l'aventure d'Adrien… et le lecteur adhère à la déception d'Étienne de ne pas aller plus loin dans cette exploration.

Du reste, le choix de narrer l'histoire du point de vue d'Étienne sert fort bien le format « jeunesse » : Étienne n'est pas celui qui sait, celui qui a voyagé à travers le monde ; jeune et d'esprit ouvert, il est l'apprenti auquel le lecteur peut facilement s'identifier, celui qui découvre le monde qui est le sien tout autant que celui des îles du ciel. Le récit est dynamisé par le recours à des fragments du journal d'Étienne, qui permettent certaines ellipses. Même les personnages secondaires sont riches, que ce soit le père Daignault, mentor du mentor d'Étienne, Rodrigue Bertin ou Éléonore. Et même si le récit aurait pu détailler plus longuement le voyage du retour, qui constitue en lui-même toute une aventure, il reste que **Les Îles du Ciel** fournissent amplement matière à rêver – sans compter l'exploitation qu'on peut faire en classe de tous ces éléments historiques et de tous les vides laissés par l'auteur.

Des vides qu'on espère bien un jour voir combler! Car **Les Îles du Ciel** suscite surtout le désir de lire encore bien d'autres histoires sous la très belle plume de Daniel Sernine.

Francine PELLETIER

Héloïse Côté
Les Voyageurs T.2: Le Garçon qui savait lire
Lévis, Alire (Romans 156), 2014, 468 p.

Les Ombres contrôlent toujours davantage de monde au Daëlisar. Les Voyageurs de Lumière en sont partis pour un autre monde éventuellement plus clément. Mais ils ont laissé derrière eux plusieurs de leurs congénères: Neros « Celle qui rassemble », dont les pouvoirs se développent peu à peu, et son jumeau Enan, qu'elle a retrouvé dans le premier volume, avec l'ancienne amante de celui-ci, Maris, une Daëlle qui a connu une vie mouvementée. Hélas, une catastrophe a frappé le clan de Neros et les coordonnées de la Porte donnant accès à l'autre monde sont perdues. Les compagnons vont avoir fort à faire pour les trouver, entre Balaferos, la Voyageuse traîtresse qui sert les Ombres, les Daëls qui pourchassent les « Enflammés » et divers voleurs, soudards et autres prêtres fanatiques du Daëlisar.

Pendant que le malheureux Ganelan, prisonnier d'une Ombre particulièrement puissante qui s'est emparée de son corps pour se joindre à Neros et aux autres, essaie en vain de prévenir ses amis, voilà que Neros disparaît – Les Bannis, le mystérieux groupe de Voyageurs qui l'ont aidée jusque-là, se révèlent enfin à elle, pour lui apprendre que la situation est bien plus complexe qu'elle ne le pensait: non seulement ce qu'on lui a appris toute sa vie est troué de lacunes mais encore quantité de mensonges délibérés de la part des Anciens ont considérablement déformé la vérité. Et il existe des créatures intermédiaires, les Crépusculaires – issus des Ombres, mais incarnés –

qui ne sont pas nécessairement des ennemis. L'un d'eux, Taupher, vient aider le petit groupe à échapper à ses divers poursuivants et à se rendre dans un autre monde. Un monde bien étrange, et d'apparence peu engageante au premier abord: il a visiblement été ravagé autrefois par un cataclysme. Ils y sont provisoirement en sécurité et Licien, le garçon qui savait lire, a la joie d'y retrouver son grand-père Timar, qu'il croyait mort. Mais tous les autres se voient infliger un déluge de révélations toutes plus bouleversantes les unes que les autres. Enan ne les a pas suivis, Maris enceinte apprend que sa relation avec lui a peut-être été manipulée par le maléfique Anedaran, ce qui augure mal pour la suite des événements, celui-ci se cherchant un corps approprié où s'incarner. Neros quant à elle est devenue plus que Neros et, dans sa nouvelle puissance, elle est peut-être perdue pour ses compagnons.

Le deuxième volume de la trilogie d'Héloïse Côté ne souffre pas du syndrome du livre-du-milieu, au contraire.

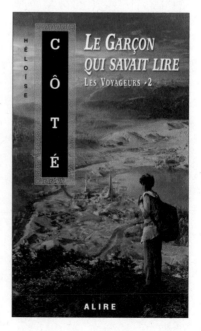

À travers les péripéties et les dangers qui assaillent de toute part les héros, on ne cesse d'apprendre des détails essentiels à la fois sur l'intrigue et sur l'arrière-monde où elle se déroule. Et surtout, les visites dans les autres univers sur lesquels ouvrent les Portes de Lumière confirment l'intuition née de la lecture du premier volume : on se dirige de plus en plus vers la « science fantasy », un mélange de fantasy et de science-fiction qui a connu de beaux jours autrefois mais dont le charme ne se dément pas. Contrastes plaisants, donc, entre l'archaïsme du Daëlisar et les modernités plus ou moins futures évoquées par les descriptions des autres mondes. On s'interroge cependant un peu sur le titre choisi pour le volume : si Licien, par ses lectures, apporte plusieurs informations importantes, il ne joue pas un rôle de premier plan. Et, du point de vue technique, les retours en arrière au présent, qui passaient très bien dans le premier volume, montrent un peu leurs coutures dans celui-ci, où ils sont employés pour des passages beaucoup plus longs. Rien qu'une astuce typographique du genre passage de ligne ou astérisques ne saurait résoudre dans le prochain volume, mais cela rend la lecture parfois un peu déconcertante.

Toutefois, l'intrigue foisonnante est ficelée serré, les personnages suivent leur évolution logique – avec un refus courageux de les sauver à tout prix ou de les rendre trop sympathiques : on constate à travers le saut d'un point de vue à un autre qu'ils ont tous leurs obsessions et leurs points aveugles. Et surtout, le coup de théâtre qui clôt ce deuxième volume est un superbe tremplin pour le troisième et dernier tome de la trilogie, qu'on espère lire bientôt.

Élisabeth VONARBURG

Joe Hill
NOSFERA2
Paris, JC Lattès, 2014, 617 p.

Pour ceux et celles qui ne connaîtraient pas encore Joe Hill, en voici le portrait en quelques mots : fils de Stephen King, il écrit des romans de genre fantastique horrifique qui ont conquis autant le public que la critique. D'ailleurs, l'un de ses romans, **Cornes** connaîtra sous peu une adaptation cinématographique qui promet de satisfaire non seulement ses fidèles lecteurs mais aussi les cinéphiles avides de sensations fortes.

Ayant adoré ses trois premiers livres (**Le Costume du mort, Fantômes : histoires troubles** et **Cornes**) pour l'originalité qu'ils offraient, j'attendais avec impatience mais aussi une certaine appréhension le suivant.

NOSFERA2

Je dois avouer que je préfère le titre dans sa langue d'origine, l'anglais : **N0S4A2**. Plus mystérieux. Juste au titre traduit en français, j'hésitais, croyant, à tort qu'il s'agissait d'une banale histoire de vampires. Puis, je me suis rapidement ressaisi : pourquoi hésiter alors que cet auteur avait réussi à me surprendre à trois reprises ?

Je me suis plongé dans les pages de ce nouvel opus en tentant de taire à la fois mes craintes et mes attentes.

NOSFERA2 n'est finalement pas du tout une histoire de vampires. L'intrigue tourne plutôt autour de Victoria, surnommée la Gamine, une fillette qui découvre qu'elle peut créer un pont magique pour aller à l'endroit précis où elle doit se rendre. Mais pour ce faire, elle doit rouler à toute vitesse sur son vélo. Elle ne peut malheureusement pas reproduire cela trop souvent ; d'atroces migraines martèlent son crâne à chaque fois. Bientôt, elle croise la route de Charles Manx, bourreaux d'enfants. À bord de sa Rolls Royce Wraith immatriculée NOSFERA2, il semble persuadé qu'il porte secours aux enfants dont les parents sont cruels. Il ne les tue pas, il les emmène à ChristmasLand, où on fête Noël tous les jours…

En quelques pages, j'étais hameçonné, autant aux personnages qu'à l'histoire elle-même, et je n'avais d'autres choix que de continuer ma lecture : qu'est-ce qui se cache derrière cette prémisse prometteuse ? Et l'inévitable : que va-t-il se passer ensuite ? C'est là tout le talent de Joe Hill, de happer son lecteur et de

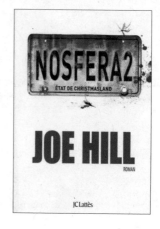

constamment le dérouter pour l'inviter sur des avenues inexplorées.

L'imaginaire dans lequel baigne ce roman peut rappeler certaines œuvres de Stephen King. Mais ce n'est jamais une copie, je précise qu'il s'agit toujours de clins d'œil (dont un très précis que je ne nommerai pas pour laisser la surprise aux amateurs du King). Le rapprochement le plus facile à faire est sans nul doute avec « Le raccourci de Mme Todd » (dans le recueil de nouvelles **Brume**) pour l'idée de ce raccourci surnaturel. Je pense aussi à **Christine**, parce que la voiture de Charles Manx semble animée d'une vie propre et de pouvoirs maléfiques. Et à **Ça** pour le concept du mal qui revient nous hanter, adulte, alors que l'on croyait l'avoir battu, enfant.

J'ai reconnu, avec plaisir, l'autre principale force de l'auteur : les personnages profondément humains. Dès le début, on s'attache aux personnages à la fois fragiles et forts. La Gamine qui découvre cette liberté à vélo, ce pouvoir étrange qu'elle devra apprendre à connaître, à comprendre mais surtout à maîtriser. Pour nous, lecteurs, elle devient presque une amie, bien vivante, puisqu'on la suit de l'enfance jusqu'à l'âge adulte, au travers de ses explorations surnaturelles et ses affrontements multiples avec le terrible Charles Manx. Sur son chemin, Maggie, une bibliothécaire punk qui se sert des lettres de Scrabble pour prédire l'avenir, deviendra une précieuse alliée pour Victoria et un autre personnage savoureux pour le lecteur. Sans oublier Bing ou « l'homme-au-masque-à-gaz », qui rêve de visiter ChristmasLand. En fait, il est prêt à tout pour y arriver. Dans son obsession, il joindra les rangs de Charles Manx.

Et la peur, elle, dans tout ça ? **NOSFERA2** contient plusieurs scènes bien pensées qui feront frissonner les amateurs d'horreur. Pourquoi cela fonctionne-t-il, contrairement à nombre de livres supposément terrifiants ? Parce qu'on se soucie vraiment des personnages, ce ne sont pas que des victimes du Mal. C'est un autre aspect que j'aime dans les livres de Joe Hill, il ne se contente pas d'étaler une panoplie de monstres ou de choses répugnantes. Il réussit à nous faire vivre une belle variété d'émotions : dans un chapitre, on est touché, dans le suivant, on tremble, et dans l'autre, on a envie de rire. À mon avis, peu d'auteurs d'épouvante peuvent se vanter d'un tel exploit.

Vous ne pensiez pas que Noël et le temps des Fêtes pouvaient être effrayants ? Et bien, détrompez-vous, ceux de ChristmasLand vont bientôt vous appeler…

Jonathan REYNOLDS

Christopher Priest
Les Insulaires
Paris, Denoël (Lunes d'Encre), 2013, 398 p.

Cet ensemble de nouvelles de longueurs inégales se situe dans l'univers de l'Archipel qui sert de décor à trois autres ouvrages de Priest, publiés chez le même éditeur (**L'Archipel du rêve**, **La Fontaine pétrifiante**, et **Le Don**, originellement publiés en anglais en 1979, 1981 et 1984). Il ne s'agit pas d'un « cycle » au sens traditionnel, mais d'un décor commun qui permet à l'auteur de livrer une œuvre extrêmement personnelle, voire intime, dans ces marges où la science-fiction se fond dans la littérature non genrée : quelque part, deux continents se livrent une guerre interminable de chaque côté d'un archipel neutre.

Ce recueil-ci est entièrement consacré à l'Archipel lui-même, et si l'on a pu évoquer Kafka ou Buzatti pour certains textes du premier recueil, c'est à Alberto Manguel et à son **Dictionnaire des**

Christopher Priest
Les Insulaires

DENOËL

lieux imaginaires que celui-ci m'a un peu fait penser. En effet, il prétend être une sorte de guide des îles de l'Archipel – mais la préface, rédigée par un célèbre lettré archepélien qu'on retrouvera ensuite comme personnage dans certains textes, donne le ton d'emblée : les îles de l'archipel sont littéralement innombrables et souvent difficiles à situer, les voyages entre elles longs et parfois hasardeux, et qui plus est le « vortex » – une espèce d'anomalie temporelle vagabonde – en rend la cartographie très difficile. Si certaines îles sont rapidement expédiées, dans leur elliptique étrangeté néanmoins, avec une parodie de brochure touristique (on indique par exemple le climat, les vaccinations nécessaires et les monnaies locales), d'autres sont le cadre de récits dont on s'aperçoit peu à peu qu'ils sont plus ou moins lointainement entrecroisés : les personnages principaux de l'un sont évoqués en arrière-plan dans un autre, et ainsi de suite, formant plusieurs – et toutes relatives – « histoires ».

Cependant, c'est surtout le lecteur à l'affût des indices qui établit ces liens jamais évidents et reconstitue ces histoires dont la plupart demeurent énigmatiques et sans conclusion – sauf celle

du meurtre du célèbre mime Commis, et encore ! On devrait être frustré, on ne l'est point, car il est bien clair depuis le début que les expériences vécues par les insulaires, voyageurs ou non, relèvent d'une autre sorte de mystère : celui de l'attente, de la perte, de l'oubli ou au contraire d'une mémoire torturante. Les éléments de « l'estrangement cognitif » feignent d'en être de science-fiction – faune, flore et architectures « autres », techniques artistiques bizarres, coutumes, langues – mais ils révèlent ouvertement dans leurs entrelacs ce qu'ils sont secrètement dans celle-ci : la psyché au travail, les manifestations amoureusement détaillées de fantasmes profonds, autrement dits, de rêves.

Élisabeth VONARBURG

Antoine Mottier (dir.)
Réalité 5.0
Rennes, Goater (L'écho des possibles),
2013, 154 p.

Cette anthologie, en principe francophone, a pour locomotive « Immersion », gagnante des prix Locus de Nebula 2013, nouvelle d'Aliette de Bodard, écrivaine française d'expression anglaise née à New York. Dans ce texte intimiste, tantôt à la deuxième personne, tantôt à la troisième, qui se passe dans une station spatiale, une civilisation galactique est distillée sous la forme de multiples références, évocations et suggestions qu'il incombe au lecteur de trier et d'expliciter avec leurs implications et dont il est censé tirer une conclusion. L'ambiance exotique domine ce brillant exercice de style mêlant travestissements et dévoilements qui a dû impressionner le public états-unien mais paraîtra peut-être futile à d'autres plus avertis de ces procédés.

Originaire du Kosovo et ayant grandi en Suisse, Elena Avdija a choisi le français

RÉALITÉ 5.0

Immersion d'Aliette de Bodart
Prix Locus et Prix Nébula

Cette petite anthologie, en théorie bâtie autour du thème de la réalité, ne le respecte guère, comme s'il avait fallu y caser certains textes à tout prix. Un peu inégale mais pas si mauvaise, elle compte trop sur un nom prestigieux pour se justifier.

Jean-Pierre LAIGLE

François Baranger
Dominium Mundi – Livre II
Rennes, Critic, 2014, 796 p.

Le premier tome de ce roman-fleuve se réduit à un prologue dans la mesure où il comporte presque deux cents pages de moins que le second et où il ébauche le contexte : une Europe retombée dans le féodalisme qui envoie un vaisseau géant vers Akya du Centaure pour délivrer le tombeau du Christ découvert par une précédente expédition. À présent, l'auteur le développe : la Guerre d'Une Heure a relativement épargné l'Europe qui, contrairement à l'Amérique du Nord, n'était guère liée aux belligérants du Tiers-Monde et qui s'est morcelée en de multiples royaumes et principautés sur lesquels le Vatican, miraculeusement épargné, a étendu son emprise, la fédérant en un Empire Chrétien Moderne. Et surtout, il entre dans le vif du sujet : la conquête de la planète en vue d'y transférer son excès de la population, presque 65 % de la surface émergée de la Terre étant définitivement irradiés et donc perdus comme espace vital.

À présent, l'ost d'un million de soldats combat les habitants à la technologie assez primitive. La Nouvelle Jérusalem est prise et le tombeau du Christ délivré. Y participe activement le super-guerrier Tancrède de Tarente. Il lui arrive alors le pire qui puisse affecter une armée d'occupation : douter de sa mission. Au vu du massacre systématique des civils, il déserte avec des amis, conscient de

pour expression. Plus poignant, l'intimisme de « Les Passerelles » est aussi plus transparent. C'est le tableau d'une époque où la pollution a rendu l'atmosphère irrespirable. Une partie de Paris est protégée par un dôme qui s'étend progressivement pour regagner des quartiers abandonnés. « Ma douce Colombine » de Thomas Geha, auteur montant, est une histoire d'amour. Il y est question d'un mariage dans un espace virtuel entre deux avatars, qui se poursuit dans la réalité mais se brise lorsqu'elle refuse de faire un enfant à son conjoint : c'est un clone élevé pour lui arracher sa fortune. Une conclusion un peu prosaïque, même pour un récit de SF sociologique.

Restent deux nouvelles plutôt faibles. « Plastique » de Sébastien Degorce rappelle la SF politique des années 1970. C'est une évocation assez morne de la France réduite à des zones de quarantaine où, sous un régime d'assistanat, vivotent les marginaux contaminés par un virus menaçant la planète. La plus courte et la plus amusante, « Une petite mayonnaise de pur plaisir » de Jean-Marc Agrati, est un dialogue qui se termine mal entre l'intelligence artificielle féminine gouvernant un appartement et son occupant.

participer à une guerre d'extermination orchestrée par le pape Urbain IX pour coloniser la planète. Ralliant l'ennemi, il apprend que sa civilisation était jadis spirituellement très évoluée. Un de ses maîtres se téléporta vers la Terre, prit l'apparence de Jésus et son corps fut rapatrié par ses condisciples. L'ayant découvert dans son cercueil, la première expédition a été éliminée sur l'ordre du pape pour préserver la fiction d'un messie divin. Le forfait a été attribué aux indigènes et le prétexte a été trouvé pour envahir Akya.

Loin d'être une apologie de la conquête militaire, comme peuvent le suggérer les fréquentes citations de **La Jérusalem Délivrée** du Tasse et les nombreuses scènes de bataille, ce roman dénonce l'imposture et l'hypocrisie d'au moins une religion monothéiste pour se perpétuer et d'asseoir son emprise sur un prosélytisme totalitaire et la conquête temporelle ; sans compter sa collusion avec le pouvoir civil et militaire dans le cadre d'un féodalisme passé et futur au détriment des peuples. Cela n'empêche pas l'auteur de lui opposer une spiritualité pacifiste et susceptible de rendre meilleur, extraterrestre en l'espèce mais évoquant la philosophie bouddhiste. Il suggère aussi qu'un militaire n'est pas forcément servile, dangereux et sans scrupule mais peut savoir réfléchir et avoir une conscience, ce à quoi l'histoire du XXᵉ siècle ne nous a guère habitués. Il est vrai qu'il lui fallait un héros à la fois sympathique et justicier.

C'est en effet sur Tancrède de Tarente, servi par le destin mais aussi par son intelligence et la compétence de ses alliés humains et extraterrestres, que repose le destin d'Akya et de la Terre. Il finit par commander les indigènes et utiliser les pouvoirs mentaux de leurs maîtres spirituels pour vaincre les croisés ; puis il se fait téléporter vers le Vatican pour abattre le joug pontifical et jeter les bases d'une société plus démocratique, comme dans la SF états-unienne. Le manichéisme de ce roman est modéré. C'est dire combien il est consensuel et plein de bonnes intentions. Les mauvais chefs militaires sont châtiés. L'abondance des scènes de bataille est surtout là pour dénoncer la guerre de conquête, sans pour autant en négliger les détails tactiques et stratégiques, ce qui ne peut que plaire aux amateurs de récits d'action. **Dominium Mundi** n'est pas sans longueurs, mais l'auteur sait les rendre digestes.

Jean-Pierre LAIGLE

Anders Fager
Les Furies de Borås et autres contes horrifiques (Samlade svenska kulter) Bordeaux, Mirobole, 2014, 345 p.

La littérature policière scandinave est à la mode en France depuis le début du siècle. Sera-ce bientôt le cas pour le fantastique ? Ainsi le suggère ce recueil suédois. Il succède aux romans **Laisse-moi entrer** et **Le Retour des Morts** de John Ajvide Lindqvist. Leur compatriote Åsa Schwarz ayant eu un thriller traduit, peut-être lirons-nous bientôt **Och fjättra Lilith i kedjor** (**Et mets Lilith dans les chaînes**, 2005), intéressante variation du mythe talmudique. Et pourquoi l'éditeur français de Stieg Larsson, sur la vogue de sa monumentale trilogie policière, ne nous offrirait-il pas ses nouvelles de SF, genre mieux représenté que le fantastique en Suède ?

Le nouvelliste A. Fager est depuis 2009 l'étoile montante de l'horreur suédoise et ceci est une sélection de textes tirés de ses recueils. La nouvelle à laquelle la version française emprunte le titre donne le ton à l'ensemble, où pourtant « Le Vœu de l'homme brisé » fait exception : au début du XVIIIe siècle en Norvège pendant un conflit entre Danois et Suédois, pour se venger des soldats qui ont pillé sa maison et tué sa famille, un paysan invoque Ittakva, une entité qui ne laisse de ses proies que les jambes et les yeux. En effet, le cadre de presque tout le reste est la Suède contemporaine, propre et conformiste, même si l'auteur semble éprouver un malin plaisir à la bouleverser.

Fager signifie beau en suédois, un nom ironique vu ses thèmes favoris. « Les Furies de Borås » trouve son paroxysme dans un sabbat où des adolescentes déjantées et anthropophages, issues d'une ville moderne mais proches des antiques ménades, invoquent dans une tourbière une entité tentaculaire lubrique qui se déchaîne contre ses adoratrices. Dans « Joue avec Liam », un enfant découvre un trou qu'il imagine (?) habité par une créature qui lui demande de la viande en échange de la réalisation de ses vœux. Il commence par des morceaux de saucisses, continue avec des lapins, pour enfin sacrifier un clochard inconscient. Peut-être pas fantastique, mais efficace.

« Trois semaines de bonheur » est une tranche de vie d'une fille bizarre. De quel accouplement blasphématoire est-elle issue ? Sa mère, une inconnue arrivée presque nue à l'hôpital, est morte en lui donnant naissance et son dossier a été expurgé. Depuis, elle s'en sort malgré les soucis que cause son épiderme : il semble inadapté à l'existence hors de l'eau. Elle drague dans les bars des garçons qu'elle tue *post coïtum*. Elle accouche alors d'espèces de grosses limaces marines qui ne sont pas viables. Elle en nourrit les poissons qu'elle élève dans ses aquariums pour gagner sa vie. Descendrait-elle de ces « deep ones » que situe H.P. Lovecraft au large d'Innsmouth ?

« Un point sur Västerbron » enquête sans aboutir à une conclusion précise sur la mort dans des circonstances sans doute surnaturelles de dizaines de personnes qui ont simultanément convergé vers un même point de Stockholm. Dans « Encore ! Plus fort ! », un couple sado-maso joue à éprouver mutuellement les symptômes de la mort en s'étranglant, jusqu'à l'irruption d'un fantôme dans leur relation. « L'Escalier de service » a pour personnage une somnambule poursuivie par un rêve obsessionnel où elle descend dans une cave pour y être agressée. Or ce lieu existe et le médecin qui la soigne pour hystérie y assiste

MIROBOLE ÉDITIONS

finalement à son viol par une créature tentaculaire.

« Le Bourreau blond », la dernière, la plus longue et la plus intimiste nouvelle du lot, concerne des vieillards monstrueux d'un âge invraisemblable qui hantent un Stockholm insoupçonné avec ses sectes et ses sorcières. C'est d'ailleurs, à une exception près, la caractéristique de ce recueil où cette ville, pourtant prosaïque, joue le même rôle que l'Arkham love-craftien. En effet, ses personnages ont beau être hors normes, ils évoluent dans un milieu résolument moderne, celui des boîtes de nuit branchées fréquentées par les punks et la jeunesse hallucinée et frénétique envers laquelle l'auteur éprouve une nostalgie marquée.

Cette ville et cette ambiance gouvernent encore cinq fragments intercalaires assez superflus entre les vraies nouvelles, du moins dans cette reconstitution à partir des recueils originaux qui auraient peut-être mérité une traduction séparée et intégrale. Il s'agit de vignettes assez superficielles dont certaines, comme celle où un météore s'écrase avec une créature affamée, auraient mérité d'être développées. Anders Fager se revendique ouvertement de Stephen King et de H. P. Lovecraft. Son style est souvent assez cru mais pas gratuitement. Ses monstres et ses victimes sont passionnants. Cette première en français est un peu irritante mais ne laisse pas indifférent.

Jean-Pierre LAIGLE

Samuel Archibald, Antonio Dominguez Leiva et Bernard Perron
Otrante 33-34 : Art et littérature fantastiques. Poétiques du zombie
Paris, Kimé n° 33-34, Hiver 2013, 342 p.

Le dernier numéro de la revue fantastique **Otrante** doit être célébré par tout critique s'intéressant un tant soit peu au genre de l'horreur et à son actuelle figure de proue : le zombie.

La figure du zombie, si prolifique ces dernières années (autant à l'écran qu'à l'écrit), demeure paradoxalement le parent pauvre de l'essai critique. Mais après une incursion, en 2012, au Congrès de l'ACFAS sous l'instigation de l'ami Jérôme-Olivier Allard, suivie de près par le colloque *Invasion Montréal : Première conférence internationale sur le zombie* que pilotait Samuel Archibald quelques semaines plus tard, il devenait nécessaire de combler un (honteux) vide institutionnel par une publication d'envergure ; aussi la revue **Otrante** s'est-elle chargée de nous livrer, dans un numéro spécial, autant les actes du colloque que certains inédits portant sur la figure émaciée de notre mangeur de cervelle commun.

Et l'ensemble est à la hauteur du succès que fut tant *Invasion Montréal* que l'annuelle *Zombie Walk*.

Le titre, sans équivoque et ambitieux, laisse poindre la qualité du matériel qu'on y retrouve : **Poétiques du zombie**. L'oxymoron fait sourire, puisqu'il y est bel et bien question d'une esthétique du pourrissement, de l'abject, du sang et du *gore* qu'appelle le zombie avec un « e », l'incarnation moderne et virale

du cadavre animé. Ceci dit, l'origine de cet objet culturel n'est pas en reste, et le zombi sans « e », celui de la perle des Antilles, a la part belle parmi les essais réunis ; aussi c'est là un effort que tout encyclopédiste en herbe se doit de saluer.

Le tiers du périodique est ainsi consacré au zombi du folklore vaudou, et en ce sens, la présence en ouverture de solides analyses d'œuvres sinon haïtiennes, du moins ayant pour cadre les pratiques vaudous qui abondent encore aujourd'hui dans l'île, vient conférer une aura de crédibilité au numéro. Puisque le zombi vaudou est à l'origine de la figure contemporaine, il vaut mieux le référencer avec panache, et en cela, il faut souligner l'apport des essais de Mélissa Simard et de Gilles Ménégaldo, qui se démarquent de l'ensemble. Ce dernier nous convie d'ailleurs à une fine analyse de **White Zombie** (1932), le tout premier film où la figure fait son apparition, et où Bela Lugosi, qui porte le film sur ses épaules, y incarne le shaman blanc Murder Legendre, un sorcier vaudou adepte de zombification qui marquera la figure jusqu'à la sortie de **Night of the Living Dead** (1968) de George A. Romero, dont l'ensemble des critiques reconnaissent l'apport imaginaire. En réifiant le zombie pour en faire non plus la victime d'ensorcellement doublée d'un empoisonnement, mais bien la victime pandémique d'un virus qui réactive le cerveau reptilien après le décès d'un individu et dont la morsure est le mode de transmission, Romero s'est ainsi taillé une place de choix dans les essais subséquents.

Reconnaissance emblématique de la critique, puisqu'il importe de souligner la place prépondérante qu'occupent les analyses d'œuvres cinématographiques ou télévisuelles parmi l'ensemble du corpus étudié, au point où la fiction romanesque paraît quelque peu laissée pour compte. C'est un peu sévère comme constatation, mais il demeure que la figure contemporaine du zombie, par les deux films susmentionnés, semble quelque peu indissociable de l'écran, ou du moins d'un certain support visuel, qu'appelle d'ailleurs trop souvent le *gore*. N'empêche, cette réalité nous donne droit à certaines des meilleures analyses du recueil. Mentionnons par ailleurs que la télésérie *The Walking Dead* se taille une place de choix non seulement par sa qualité, mais aussi par la pluralité des supports médiatiques de son univers, et l'analyse pointue de la série qu'en font Patrice Bergeron et Valérie Levert dans leurs essais respectifs doit assurément être comprise comme une reconnaissance institutionnelle de l'apport sériel à ce qui est désormais une figure incontournable de l'horreur, au même titre que le vampire, la momie ou le loup-garou. Ce n'est d'ailleurs pas un hasard si, pour clore le dossier, l'équipe d'**Otrante** s'est gardé le meilleur pour la fin, avec des essais de Denis Mellier et d'Antonio Dominguez Leiva, ce dernier nous livrant un texte qui met sur un pied d'égalité vampire et zombie.

En prime, la revue publie également un essai hors-dossier qui se démarque ne serait-ce que parce qu'il s'attaque à une épineuse question – celle des frontières génériques de la science-fiction et de sa toujours évanescente définition. Là-dessus, Jean-François Chassay y va de son toujours pertinent grain de sel épistémologique, et qui vaut amplement le détour.

En somme, c'est là un numéro important que tout critique devrait se procurer, puisqu'il s'attaque de front à un vide académique laissé par la paradoxale surenchère et surexposition d'un objet culturel horrifique au sein des *mass media*. C'est bel et bien aux balbutiements de l'institutionnalisation d'une figure que nous assistons dans les pages du dernier **Otrante**. Une figure qui, dans un passé somme toute assez récent, n'aurait jamais pu être présentée en salle, indissociable qu'elle était de la monstration de l'abject; souvenons-nous qu'à une certaine époque, Hitchcock faisait trembler le monde et la censure avec une scène de douche certes emblématique, mais qui apparaît aujourd'hui bien innocente au regard de la diète du zombie. *Don't get bit.*

Marc Ross GAUDREAULT

Robert Charles Wilson
Burning Paradise
New York, Tor Books, 2013, 320 p.

Nous sommes en 2014. Mais pas notre 2014. Les événements décrits ici se déroulent sur une Terre où les deux Guerres mondiales n'ont pas eu lieu et la paix règne depuis plus d'un siècle. La pauvreté est en déclin et la prospérité augmente un peu partout. Un monde plus idéal que le nôtre? Oui, sans doute.

Seule ombre au tableau, le massacre des membres d'une société composée essentiellement de chercheurs universitaires, la Correspondance Society, sept ans plus tôt. Les auteurs se sont révélés être des aliens d'apparence humaine très convaincante dont l'existence n'était connue que des membres de ce groupe. Ces meurtres ont fait de Cassie, dix-huit ans, et de son frère Thomas, douze ans, des orphelins qui vivent maintenant avec leur tante Nerissa. Ils ne peuvent parler de cela à personne car les traces menant vers la confirmation d'une présence alien sur Terre sont systématiquement effacées.

Aussi, quand Cassie se lève cette nuit-là et regarde machinalement par la fenêtre, elle ne se doute pas qu'elle va devoir faire sa valise de toute urgence et partir avec son frère pour une destination inconnue parce que la chasse recommence. Elle va directement chez Ethan Beck, fils du fondateur de la Correspondance Society pour lui dire qu'ils sont tous de nouveau en danger.

Cassie, Thomas, Ethan et sa blonde Beth partent à la recherche de Werner Beck, grand scientifique et paranoïaque reconnu, mais seul à savoir qui sont vraiment ces E.T. qui les pourchassent...

Plus thriller que SF, **Burning Paradise** est à la fois similaire et différent d'autres romans de Robert Charles Wilson. Similaire car il parle là encore de la rencontre entre des entités extraterrestres assez indéfinissables et des humains. Différent, car dans cette uchronie, on se croirait dans un croisement entre un *road movie* où de jeunes adultes doivent faire des choix parfois drastiques pour survivre et un épisode d'*X-Files* où il ne faut jamais faire confiance à personne...

Le développement des personnages est assez vivant mais on a parfois du mal à s'attacher. Les cas de conscience des jeunes en cavale, ceux des adultes confrontés à une situation extrême, la description en arrière-plan d'une Terre plus juste et plus paisible forment une base intéressante mais le rythme du roman est quant à lui trop dans le thriller basé sur l'action et l'hémoglobine (rouge ou verte) à mon goût.

La fin souffre d'un peu trop de rebondissements et d'un montage précipité. Même si on peut comprendre petit à petit les intentions de la « ruche » alien, les motivations des deux parties ne sont pas toujours clairement expliquées et les révélations finales concernant certains des personnages un peu trop placées là pour créer un rebondissement gratuit difficilement soutenable par la logique de narration.

Globalement, **Burning Paradise** reste un bon suspense qui se laisse lire et donne envie de tourner les pages. Le métier de l'auteur pallie aux faiblesses mentionnées, si on aime les romans de type *road movie*.

Nathalie FAURE

Silvia Moreno-Garcia (ed.)
Dead North : Canadian Zombie Fiction
Holstein, Exile Editions, 2013, 352 p.

Ce recueil de nouvelles nous présente en majeure partie des auteurs canadiens, dont les Montréalais Tessa J. Brown et Claude Lalumière. Le thème de l'anthologie est celui du mort-vivant, sans que ce dernier soit nécessairement le « zombie » à la mode… Si quelques nouvelles nous présentent des zombies « classiques » issus de virus, radiations etc. à la Romero et à la *Walking Dead* (le dernier étant le rejeton du premier), la particularité principale du recueil est la grande variété des textes présentés aux lecteurs. La magie amérindienne, esquimaude, chinoise ou autre, y tient une place prépondérante. Cela permet donc aux auteurs de s'éloigner des balises imposées par le zombie pur et dur (dépendant de son âge) d'origine science-fictionnesque. Les règles de la magie, des légendes et des contes permettent une plus grande variété d'intrigues et de dénouements. Dans plusieurs de ces textes, ce n'est pas parce qu'on gèle que les morts-vivants font de même… Ce qui rend la situation encore plus périlleuse : il faut se battre contre les morts-vivants… et le froid ! L'anthologie fait aussi place à l'histoire canadienne (le terrifiant « The Sea Half-Held by Night » de E. Catherine Tobler, l'angoissant « Rat Patrol » de Kevin Cocle, entre autres) et aux légendes nordiques et amérindiennes. À noter que quelques auteurs sont de descendance amérindiennes. Ceci donne un recueil de textes de zombies très différent de la moyenne et beaucoup plus intéressant, à mon point de vue.

L'humour est présent dans cette anthologie, parfois subtilement, mais aussi par moments de façon quasi délirante : « Ground Zero : Sainte-Anne de Bellevue » du Montréalais Claude Lalumière, est une perle d'humour noir débridé. C'est d'ailleurs mon texte favori de l'anthologie. Bien que les amateurs de zombies sérieux puissent s'offusquer du ton léger et absurde de cette nouvelle, je défie qui que ce soit de la lire sans rire tout haut ! Ceux qui ont aimé la nouvelle « The Ethical Treatment of Meat » du même auteur y trouveront leur bonheur. Claude Lalumière se sert à merveille de l'humour décapant pour traiter l'horreur de façon délicieusement sacrilège.

De même, « The Food Truck of the Zombie Apocalypse » de Beth Wodzinski mélange habilement horreur, action et humour tout en réussissant à toucher le lecteur grâce aux souvenirs nostalgiques de l'héroïne, une courageuse survivante âgée et arthritique. Et on ne peut s'empêcher de rire de la bande de hippies mariculteurs assaillis par des zombies, mais toujours hésitants à avertir la GRC pour ne pas exposer au grand jour leur *business*, dans « Kezzie of Babylon ». Jamie Mason de Vancouver (*where else?*) nous offre là une histoire aussi sympathique que stressante.

Les lecteurs ayant comme moi un faible pour les contes et légendes nordiques et amérindiennes seront servis. Parmi les meilleures nouvelles du recueil, « The Herd » de Tyler Keevil, « Those Beneath the Fog » de Jacques L. Condor (un Abénaki-Meskaki francophone), « The Last Katajack » de Carrie-Léa Côté, « Half Ghost » de Linda DeMeulemeester, ainsi que « On the Wings of this Prayer » de Richard Van Camp (de la nation Dogrib des Territoires du Nord-Ouest) réfèrent toutes au genre des contes. On espère que la dernière nouvelle mentionnée, traitant de la magie monstrueuse liée aux sables bitumineux de l'Alberta, ne s'avérera pas prophétique! Un récit de SF situé au Yukon mérite d'être signalé: « The Dead of Winter » de Brian Dolton nous fait suivre les déboires d'un groupe de pilotes de brousse ayant pire que le froid et les mauvaises conditions de vol à craindre... Le Nord du nord comme si vous y étiez...

Deux autres textes se démarquent nettement par leur originalité: « Hungry Ghosts » du Torontois Michael Matheson nous introduit à la magie noire et aux croyances ancestrales de la communauté chinoise de Toronto. Avec une héroïne extrêmement touchante et un récit poignant, Matheson nous raconte une histoire de morts-vivants d'un exotisme rafraîchissant... Un auteur que je compte dorénavant suivre! L'autre surprise est l'indescriptible « And all the Fathomless Crowds » de Ada Hoffman. Dans un

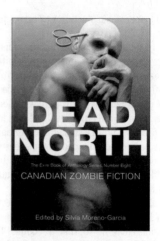

mode surréaliste et extrêmement hostile où tout est vivant, seule une poignée de personnes entraînées physiquement et psychologiquement peut se déplacer hors des Maisons Certifiés où se cachent les survivants... Touchant mais dérangeant! Et si jamais vous vous demandiez quelle serait la vie d'un survivant montréalais pris... dans le Biodôme, lisez « Escape » de Tessa J. Brown !

Je n'ai pas lu de mauvaises nouvelles dans ce recueil, même si certaines m'ont paru un peu trop conformes à des textes lus dans d'autres ouvrages du genre... **Dead North** constitue la meilleure anthologie sur le thème des morts-vivants que j'aie lue depuis longtemps. Comme quoi les auteurs canadiens peuvent aussi être (sinon plus) intéressants, originaux et terrifiants que leurs collègues du Sud ! Bravo !

Valérie BÉDARD

Ce cent quatre-vingt-onzième numéro de la revue **Solaris** a été achevé d'imprimer en juin 2014 sur les presses de Marquis Imprimeur Inc.

Imprimé au Canada — Printed in Canada